Guía Visual de Excel 2010

Fernando Rosino Alonso

ANAYA
MULTIMEDIA

GUÍAS VISUALES

RESPONSABLE EDITORIAL:
Víctor Manuel Ruiz Calderón
Susana Krahe Pérez-Rubín

DISEÑO DE CUBIERTA:
Ignacio Serrano Pérez

Todos los nombres propios de programas, sistemas operativos, equipos hardware, etc. que aparecen en este libro son marcas registradas de sus respectivas compañías u organizaciones.

Edición española:
© EDICIONES ANAYA MULTIMEDIA (GRUPO ANAYA, S.A.), 2010
    Juan Ignacio Luca de Tena, 15. 28027 Madrid
    Depósito legal: M-26.848-2010
    ISBN: 978-84-415-2787-4
    Printed in Spain
    Impreso en: Talleres Gráficos Peñalara, S.A., Fuenlabrada (Madrid)

Microsoft Excel 2010 es el programa de análisis y hoja de cálculo más utilizado, y forma parte de Microsoft Office 2010. Su éxito es debido a su gran versatilidad, ya que no se limita a realizar con éxito y rapidez multitud de cálculos y a proporcionar al usuario un gran número de herramientas de análisis predefinidas que facilitan el trabajo, ahorran tiempo y permiten tomar decisiones basadas en datos más fiables. Excel también permite realizar tareas más propias de programas de procesamiento de texto o de creación de presentaciones, ya que permite crear documentos de aspecto profesional, muy elaborados y de estética muy variada y atractiva.

El libro está estructurado de forma que el aprendizaje resulte sencillo. Al ser una guía visual, las explicaciones son concisas y van apoyadas con un gran número de imágenes de ejemplo. La estructura del libro es la siguiente:

- **Capítulo 1. Conceptos básicos:** Veremos los primeros pasos de un usuario con la aplicación: instalación, inicio y configuración de Excel, descripción de los elementos de pantalla, uso de la Ayuda, cómo abrir un libro, moverse por la aplicación, introducir y modificar datos, guardar su trabajo y salir de la aplicación.

- **Capítulo 2. Trabajar en un libro:** Se explican las acciones fundamentales del trabajo con hojas de cálculo: seleccionar datos, crear una nueva hoja, mover las hojas dentro del libro, etc. También se describen técnicas de visualización de ventanas y se describen técnicas para trabajar con los datos de filas, columnas y rangos.

- **Capítulo 3. Trabajar con datos:** Veremos técnicas para introducir datos, crear comentarios, veremos formatos de número, utilizaremos filtros y ordenación de datos, realizaremos búsquedas y utilizaremos tablas.

- **Capítulo 4. Imprimir un libro:** Trataremos la impresión de nuestros trabajos: formas rápidas y habituales de imprimir, la configuración, saltos de página, crear un área de impresión, modificar márgenes o la escala de impresión y utilizar encabezados y pies de página.

- **Capítulo 5. Cambiar el aspecto de un libro:** Veremos cómo personalizar nuestros trabajos: modificar texto, utilizar WordArt, formatos predefinidos, imágenes y formas.

- **Capítulo 6. Gráficos:** Aprenderemos a crear gráficos: tipos de gráficos, cómo imprimirlos y modificarlos.

- **Capítulo 7. Funciones:** Veremos cómo utilizar funciones en las fórmulas para realizar cálculos complejos y algunos ejemplos.

- **Capítulo 8. Otras herramientas:** Veremos un variado conjunto de herramientas: tablas y gráficos dinámicos, utilizar macros, el corrector ortográfico, etc.

Capítulo 1
Fundamentos
de Excel 2010

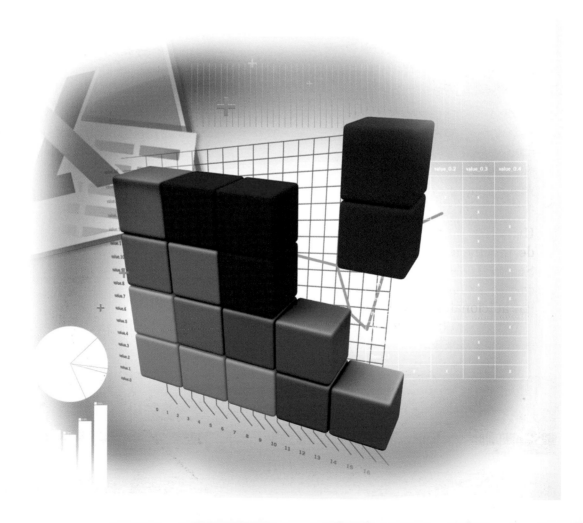

Instalación completa de Office 2010

Para realizar una instalación completa de Office 2010:

1. Cierre todas las aplicaciones que estén abiertas.

2. Introduzca el disco de Office 2010 en la unidad lectora. El proceso de instalación se iniciará automáticamente. Si no fuera así, puede iniciar la instalación de forma manual haciendo doble clic sobre el archivo **setup.exe** incluido en el disco.

3. Aparecerá el contrato de licencia de uso de Microsoft Office 2010. Para poder instalar los programas incluidos en Microsoft Office 2010 será necesario aceptar los términos de la licencia y hacer clic sobre **Continuar**.

4. A continuación, seleccione **Instalar ahora** si no dispone de una versión anterior ya instalada en su ordenador, o **Actualizar** si ya dispone de una versión anterior de Office instalada.

5. Una vez concluya el proceso de instalación, haga clic sobre **Seguir conectado** si desea descargar actualizaciones o plantillas adicionales, o haga clic sobre **Cerrar** para finalizar el proceso de instalación.

Nota: Si Windows solicita permiso para ejecutar la instalación, haga clic sobre el botón correspondiente para que la instalación pueda iniciarse.

Instalación personalizada de Office 2010

1. Cierre todas las aplicaciones que estén abiertas.

2. Introduzca el disco de instalación de Office 2010 en la unidad lectora. El proceso de instalación se iniciará automáticamente. Si no fuera así, puede iniciar la instalación de forma manual haciendo doble clic sobre el archivo **setup.exe** incluido en el disco de instalación.

3. Aparecerá el contrato de licencia de uso de Microsoft Office 2010. Para poder instalar los programas incluidos en Microsoft Office 2010 será necesario aceptar los términos de la licencia y hacer clic sobre **Continuar**.

4. Seleccione **Personalizar**.

5. En la ficha Opciones de instalación, haga clic sobre los elementos y seleccione las opciones Ejecutar desde mi PC o Ejecutar todo desde mi PC para instalar el elemento, o No disponible para no instalar el elemento. Asegúrese de instalar Excel completamente.

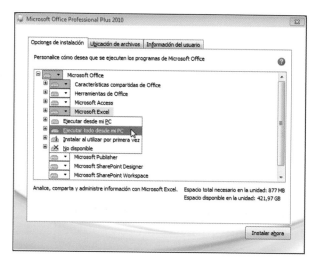

6. En la ficha Ubicación de archivos seleccione el lugar donde se instalarán las aplicaciones del paquete.

7. En la ficha Información del usuario introduzca, si lo desea, sus datos personales. Este paso es opcional.

8. Haga clic sobre el botón **Instalar ahora** para que se inicie el proceso de instalación.

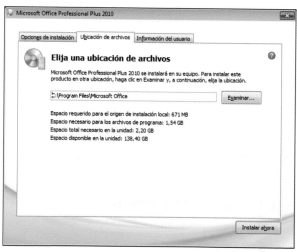

9. Una vez que el programa indique que ha terminado de realizar la instalación de componentes, haga clic sobre **Seguir conectado** si desea descargar actualizaciones o plantillas adicionales, o haga clic sobre **Cerrar** para finalizar el proceso de instalación.

Modificar los elementos instalados

Para modificar los elementos instalados de Office:

1. Cierre todas las aplicaciones que estén abiertas.

2. Introduzca el disco de Office 2010 en la unidad lectora del equipo. El proceso de instalación se iniciará automáticamente. Si no fuera así, puede iniciar la instalación de forma manual haciendo doble clic sobre el archivo **setup.exe** incluido en el disco de instalación.

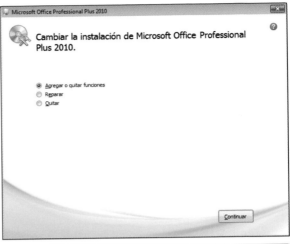

3. Seleccione la opción Agregar o quitar funciones y seguidamente haga clic sobre el botón **Continuar**.

4. En la ficha Opciones de instalación, haga clic sobre los elementos y seleccione Ejecutar desde mi PC o Ejecutar todo desde mi PC para instalar un elemento no instalado previamente. Seleccione No disponible para quitar un elemento ya instalado.

5. Haga clic sobre **Continuar** para iniciar el proceso de actualización de elementos.

6. Una vez haya finalizado, haga clic sobre **Cerrar**.

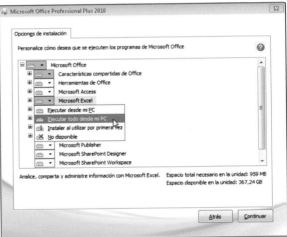

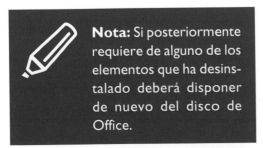

Nota: Si posteriormente requiere de alguno de los elementos que ha desinstalado deberá disponer de nuevo del disco de Office.

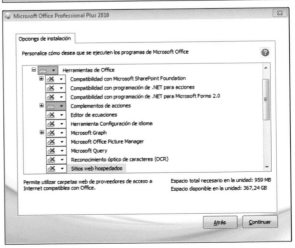

Iniciar Excel

Existen diversas formas de iniciar Excel. La más habitual es la siguiente:

1. Haga clic sobre el botón Iniciar de la barra de tareas, en la esquina inferior izquierda de la ventana.

2. Haga clic sobre Todos los programas.

3. Haga clic sobre Microsoft Office.

4. Haga clic sobre Microsoft Office Excel 2010.

Otra forma para iniciar el programa es utilizar un acceso directo en el Escritorio. Para crear un acceso directo en el Escritorio:

1. Haga clic sobre el botón Iniciar.

2. Haga clic sobre Todos los programas.

3. Haga clic sobre Microsoft Office.

4. Haga clic con el botón derecho del ratón sobre la opción Microsoft Office Excel 2010 y seleccione la opción Escritorio (crear acceso directo) del submenú Enviar a. Aparecerá un acceso directo a Excel en el Escritorio. Haciendo doble clic sobre este acceso directo se iniciará la aplicación.

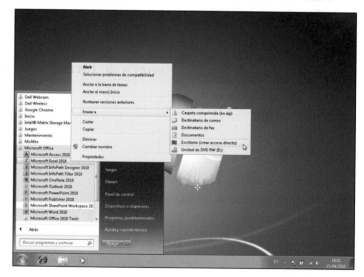

Nota: Puede arrastrar este acceso directo hasta la barra de tareas de Windows 7 y crear así un acceso directo.

Elementos de la ventana de Excel

Los elementos de la ventana de Excel son:

1. **Barra de título:** Muestra el título del libro actualmente abierto.
2. **Botón Cerrar:** Cierra el libro de Excel actualmente abierto pero no cierra Excel.
3. **Botón Maximizar/Restaurar:** Maximiza la ventana del libro abierto o lo muestra como una ventana flotante dentro de la ventana de Excel.
4. **Botón Minimizar:** Minimiza la ventana del libro y la coloca en la parte inferior de la ventana de Excel.
5. **Botón Ayuda:** Abre el sistema de Ayuda de Microsoft Excel.
6. **Botón Minimizar Cinta de Opciones:** Permite minimizar la Cinta de Opciones para aumentar el espacio útil de trabajo.
7. **Barra de herramientas de acceso rápido:** Barra de herramientas con los comandos Guardar, Deshacer y Rehacer.
8. **Icono de Excel:** Abre un menú que permite realizar diversas acciones con la ventana de Excel, como cerrar, minimizar o maximizar la ventana.
9. **Cinta de Opciones:** Incluye los comandos utilizados en Excel, organizados en fichas y grupos de comandos.
10. **Menú Archivo:** Esta ficha, de color verde, es una novedad de Excel 2010, y facilita el acceso a la Vista Backstage, donde se puede realizar diversas acciones sobre el libro actual.
11. **Cuadro de nombres y barra de fórmulas:** Identificación de la celda activa y el contenido de la misma.
12. **Ventana de trabajo del libro:** Conjunto de filas y columnas del libro.
13. **Botones de navegación entre fichas:** Permiten desplazarse entre las distintas hojas de un libro cuando contiene un gran número de ellas.
14. **Fichas de hojas de cálculo:** Permite pasar de una hoja de cálculo a otra entre las que forman el libro de Excel.
15. **Barra de estado:** Indica si están activadas algunas opciones de Excel.

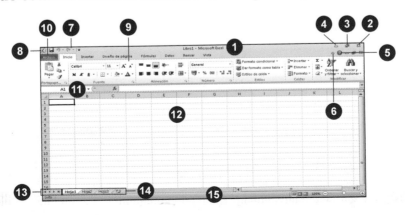

La Cinta de Opciones

La Cinta de Opciones es una característica introducida en la versión anterior de Microsoft Office que sustituye a las barras de herramientas y a la barra de menús. La Cinta de Opciones recoge los comandos de la aplicación, agrupados en fichas, de forma que están siempre visibles y más accesibles al usuario.

Cada ficha incluye los comandos relacionados con un mismo tipo de actividad, como por ejemplo Insertar o Diseño de página. Algunas de estas fichas únicamente son visibles en función de lo que se esté haciendo en ese momento.

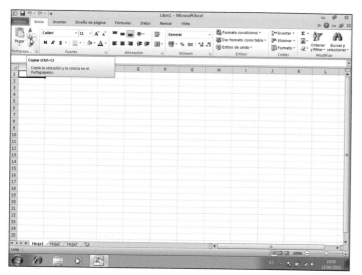

Dejando un instante el cursor del ratón sobre un elemento de la Cinta de Opciones aparece una breve descripción del mismo. En esta descripción se indicará también si el comando tiene asociada alguna combinación de teclas. Por ejemplo, para el comando Copiar la combinación de teclas es **Control-C**.

En cada ficha, los comandos están organizados en grupos de opciones, algunos de los cuales presentan elementos adicionales, lo que está indicado por la aparición del icono en la parte derecha del grupo de comandos. Haciendo clic sobre este icono se abre un cuadro de diálogo o un panel.

Algunos comandos presentan galerías desplegables con más opciones e incluso con vistas previas que muestran cuál sería el resultado de elegir la opción elegida.

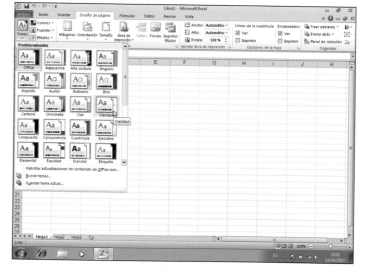

Minimizar la Cinta de Opciones

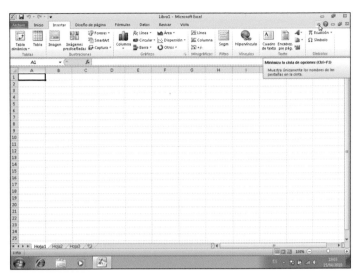

Si desea minimizar el espacio ocupado por la Cinta de Opciones, de forma que, únicamente, se muestren los nombres de la fichas, por lo que resultaría necesario hacer clic sobre el nombre para desplegar la ficha correspondiente, simplemente tendrá que hacer clic sobre el icono ⌃ situado en la parte superior derecha de la ventana, junto al icono de ayuda. Para volver a desplegar la Cinta de Opciones, deberá volver a hacer clic sobre este mismo icono.

Personalizar la barra de herramientas de acceso rápido

Para modificar los comandos mostrados en la barra de herramientas de acceso rápido, los pasos son:

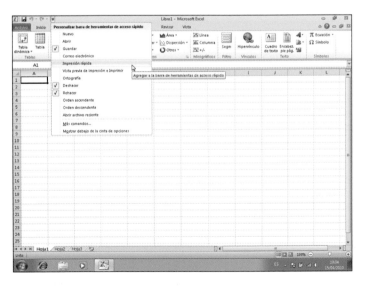

1. Haga clic sobre el botón de flecha situado a la derecha del botón **Personalizar barra de herramientas de acceso rápido**.

2. Active los comandos que desea mostrar y desactive los que desea quitar. Si desea añadir algún comando que no esté listado en el menú, haga clic sobre Más comandos.

Si desea que esta barra de herramientas aparezca debajo de la Cinta de Opciones, active la opción Mostrar debajo de la cinta de opciones.

Personalizar la Cinta de Opciones

Es posible personalizar la Cinta de Opciones con el fin de que se ajuste mejor a sus necesidades y al trabajo a realizar:

1. Haga clic en Archivo.
2. En la parte inferior izquierda de la Vista Backstage, haga clic sobre Opciones.
3. En la parte izquierda del cuadro de diálogo Opciones de Excel, seleccione Personalizar cinta de opciones.
4. Realice las modificaciones que desee para ajustar la Cinta de Opciones a sus necesidades.
5. Cuando haya terminado, haga clic sobre el botón **Aceptar**.

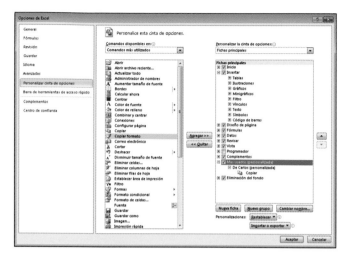

Añadir una ficha personalizada con los comandos más utilizados

Como ejemplo de personalización de la Cinta de Opciones, vamos a crear una ficha nueva que incluya los comandos más utilizados por un usuario:

1. Seleccione el comando Archivo> Opciones>Personalizar cinta de opciones.
2. Haga clic sobre **Nueva ficha**.
3. Utilizando el botón **Cambiar nombre,** cambie el nombre de la ficha y del grupo por el que crea más conveniente.
4. Con el nuevo grupo personalizado todavía seleccionado en la lista Fichas principales, vaya a la lista de comandos disponibles y seleccione el primer comando que desee añadir a su nuevo grupo personalizado. Haga clic sobre **Agregar** para añadir el comando seleccionado al nuevo grupo personalizado.
5. Repita este proceso hasta haber añadido todos los comandos que desee a su nuevo grupo personalizado y haga clic sobre **Aceptar** para guardar los cambios.

Cambiar el idioma de Excel

Para cambiar el idioma de todas las aplicaciones de Microsoft Office, siga los siguientes pasos:

1. Inicie Excel u otra aplicación de Microsoft Office.
2. Ahora tendremos que abrir el cuadro de diálogo de Opciones de Excel, para ello seleccione en el menú la siguiente ruta Archivo>Opciones>Idioma.
3. Vea Elegir idiomas de la Ayuda e interfaz de usuario, seleccionar el idioma que se desea.
4. Haga clic sobre los sucesivos botones **Aceptar**.

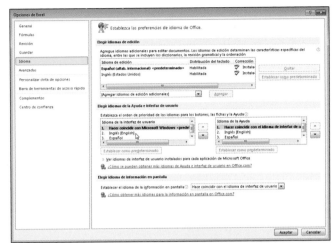

Añadir un nuevo idioma para Excel

Estos son lo pasos a seguir para cambiar el idioma:

1. Escoja Archivo>Opciones> Idioma.
2. En la sección Elegir idiomas de la Ayuda e interfaz de usuario, haga clic sobre el enlace ¿Cómo se pueden obtener más idiomas de Ayuda e interfaz de usuario en Office.com? que se encuentra situado al final de esta sección.
3. Seleccione el idioma que desea instalar en la lista Cambiar idioma y haga clic sobre el botón **Cambiar**.

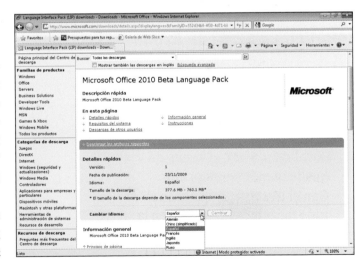

4. En la parte inferior de esta página, seleccione el archivo del idioma que desea descargar. Elija la versión adecuada para su sistema operativo y versión de Office y haga clic sobre el botón **Descargar**.
5. haga doble clic sobre el archivo descargado y siga las instrucciones.

Ayuda. Tabla de contenidos

Para acceder al sistema de Ayuda de Excel 2010, simplemente hay que hacer clic sobre el botón **Ayuda** (❓), situado en la parte superior derecha de la ventana, o pulsando **F1**.

Para que en la parte derecha del cuadro de diálogo aparezca la Tabla de contenidos del sistema de Ayuda, haga clic sobre el icono (🔖) de la barra de herramientas de la ventana de ayuda. Haga clic sobre los capítulos de la Tabla de contenidos para desplegar su

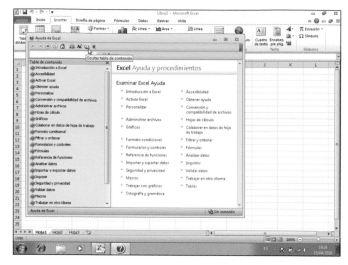

contenido. Los capítulos se muestran con el icono de un libro, abierto si está desplegado y cerrado en caso contrario. Una vez haya localizado el tema que desea consultar, haga clic sobre el mismo. El texto del tema de ayuda aparecerá en la parte derecha de la ventana. Puede utilizar los botones **Atrás** (◀), **Adelante** (▶) e **Inicio** (🏠) de la parte superior de la ventana para desplazarse por las distintas páginas de ayuda consultadas, o para regresar a la página inicial del sistema de Ayuda.

Imprimir un tema de Ayuda

Para imprimir un tema de Ayuda:

1. Abra la ventana de Ayuda de Microsoft Excel.

2. Localice y abra el tema de Ayuda que desea imprimir.

3. Haga clic sobre el botón **Imprimir** (🖨) situado en la parte superior de la ventana de Ayuda.

4. Seleccione la impresora y la configuración de impresión que desee y haga clic sobre **Imprimir**.

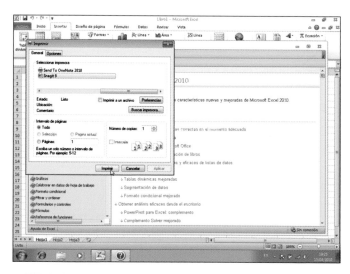

Buscar en el contenido de Ayuda instalado

1. En la ventana de Ayuda, en el cuadro de texto situado junto al botón **Buscar**, escriba las palabras que quiere utilizar como criterio de búsqueda.

2. Haga clic sobre la flecha del botón **Buscar**.

3. Haga clic sobre Ayuda de Excel en la sección Contenido de este equipo. El resultado de la búsqueda se limitará a los elementos instalados en el equipo duran-

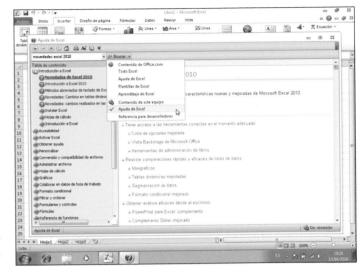

te la instalación. Es la única posibilidad si no se dispone de conexión a Internet.

Buscar Ayuda en Office.com

Es necesario que el equipo esté conectado a Internet en el momento de la búsqueda.

1. En la ventana de Ayuda, en el cuadro de texto situado junto al botón **Buscar**, escriba las palabras que quiere utilizar como criterio de búsqueda.

2. Haga clic sobre la flecha del botón **Buscar**.

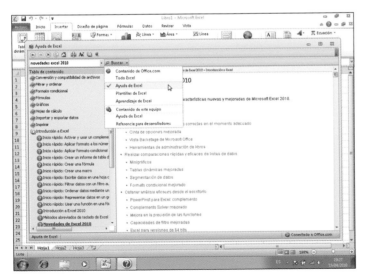

3. Haga clic en Ayuda de Excel en la sección Contenido de Office.com. También dispone de las opciones Plantillas de Excel, para buscar en Office.com, Aprendizaje de Excel, para buscar entre los contenidos del sistema de formación de Microsoft Excel, y Todo Excel, para buscar en cualquier tipo de contenido de Microsoft Excel, tanto de ayuda como de formación o plantillas.

Cerrar un libro de Excel

Existen diversas formas de cerrar un libro de Excel abierto:

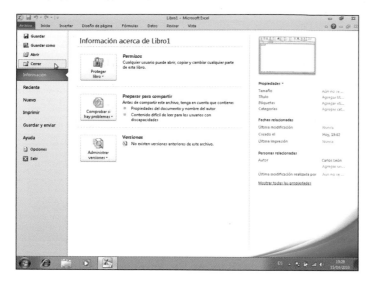

- **Botón Cerrar general (X):** Cierra el libro abierto. Si es el único libro abierto, también sale de Excel.
- **Botón Cerrar ventana (x):** Cierra la ventana del libro de Excel, pero en ningún caso sale de Excel.
- **Comando Cerrar de la Vista Backstage:** Cierra la ventana del libro de Excel, pero en ningún caso sale de Excel.

Salir de Excel

Las distintas formas de salir de Excel son:

- **Botón Cerrar general (X):** Hacer clic sobre este botón tantas veces como libros de Excel estén abiertos.
- **Opción Salir de la Vista Backstage:** Cierra todos los libros de Excel abiertos y sale de Excel.

Abrir un libro de Excel ya existente

1. Una vez iniciado Excel, haga clic sobre Archivo para abrir la Vista Backstage.

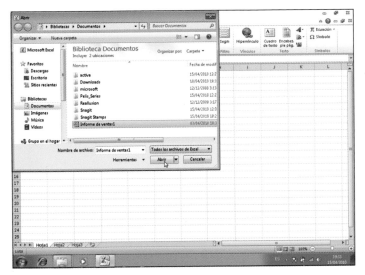

2. Haga clic sobre el comando Abrir. Se abrirá el cuadro de diálogo Abrir.

3. En este cuadro de diálogo, localice el archivo del libro que desea abrir. Los archivos de Excel 2010 y 2007 tienen la extensión .xlsx, mientras que los de versiones anteriores tienen la extensión de archivo .xls.

4. Una vez localizado, haga clic sobre el botón **Abrir**.

 Nota: Puede acceder al cuadro de diálogo Abrir pulsando **Control-A**. También puede abrir un libro existente, desde el Explorador de Windows, haciendo doble clic sobre su archivo. Y si es un libro abierto recientemente, su nombre aparecerá en la sección Libros recientes del apartado Reciente.

Abrir un libro nuevo en blanco

1. Iniciado Excel, haga clic sobre Archivo para acceder a la vista Backstage.

2. Haga clic sobre Nuevo.

3. En la parte central de la ventana, seleccione la opción Libro en blanco. En la parte derecha se muestra una vista previa del libro. En este caso es un libro totalmente en blanco.

4. Finalmente, haga clic sobre el botón **Crear**.

El área de trabajo de la hoja de cálculo

Las hojas de cálculo de Microsoft Excel están compuestas de celdas, las cuales pueden tener hasta 1.048.576 filas y 16.384 columnas. Cada columna está identificada con una o más letras, mientras que las filas se identifican mediante números, siendo **A1** la primera celda:

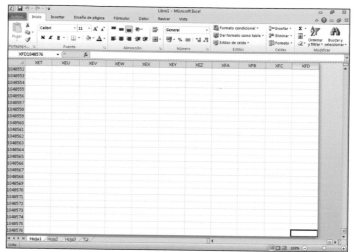

- Para acceder a la última de las filas de la hoja de cálculo, pulse de forma consecutiva la tecla **Fin** y la **Flecha abajo**.
- Para acceder a la última de las columna de la hoja de cálculo, pulse de forma consecutiva la tecla **Fin** y la **Flecha derecha**.
- Para volver a la celda **A1**, pulse **Control-Inicio**.

Desplazarse por la ventana utilizando el teclado

Existen otras formas de utilizar el teclado para movernos por la ventana de Excel:

- **Teclas de cursor (o Teclas de flecha):** Mueven el foco una celda en la dirección de la flecha de la tecla pulsada.
- **Inicio:** Mueve el foco a la primera celda de la fila.
- **Control-tecla de cursor:** Mueve el foco hasta la última celda con datos, en la dirección de la flecha de la tecla pulsada.
- **Tab:** Mueve el foco a la celda de la derecha.
- **Mayús-Tab:** Mueve el foco a la celda de la izquierda.
- **Mayús-Tecla de cursor:** Amplía la selección a la celda o celdas contiguas en la dirección indicada por la tecla de cursor.
- **Control- Mayús-Tecla de cursor:** Amplía la selección hasta la última celda con datos en la dirección indicada por la tecla de cursor.
- **AvPág:** Baja el foco una página en la hoja de cálculo.
- **RePág:** Sube el foco una página en la hoja de cálculo.
- **Alt-AvPág:** Desplaza el foco una pantalla hacía la derecha.
- **Alt-RePág:** Desplaza el foco una pantalla hacía la izquierda.
- **Control-AvPág:** Pasa a la siguiente hoja de cálculo del libro.
- **Control-RePág:** Pasa a la hoja de cálculo anterior en el libro.

Desplazarse mediante las barras de desplazamiento

Para desplazarse con las barras de desplazamiento:

- **Las barras de desplazamiento horizontal y vertical:** Permiten desplazarnos por la zona de datos de la hoja de cálculo. Un mensaje de información sobre la barra de desplazamiento indica la primera columna o fila de la hoja de cálculo que se ve en cada momento.

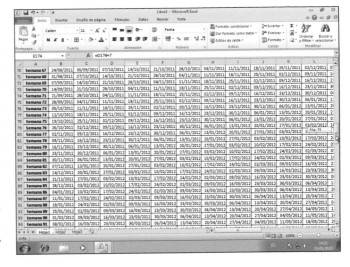

- **Mayús-arrastrar la barra de desplazamiento:** Permiten desplazarnos por toda la hoja de cálculo.

- **Hacer clic sobre las flechas de desplazamiento vertical:** Permiten desplazarnos arriba o abajo, según la dirección de la flecha de desplazamiento. Las flechas de desplazamiento vertical están situadas encima y debajo de la barra de desplazamiento vertical (▼ o ▲).

- **Hacer clic sobre las flechas de desplazamiento horizontal:** Permiten desplazarnos una columna a la derecha o a la izquierda, según la dirección de la flecha de desplazamiento. Las flechas de desplazamiento horizontal están a la derecha e izquierda de la barra de desplazamiento horizontal (◄ o ►).

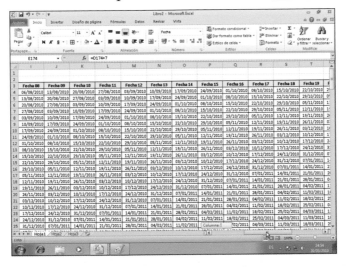

Desplazarse a una celda en particular

Si queremos movernos para ir directamente a una celda en particular de la hoja de cálculo, siga los siguientes pasos:

1. Haga clic sobre el Cuadro de nombres, situado junto a la barra de fórmulas.

2. Escriba la referencia de la celda a la que quiere desplazarse, por ejemplo: **C33**.

3. Pulse **Intro**.

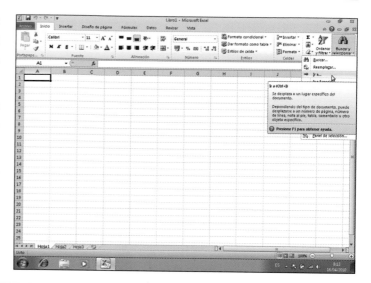

Nota: Otra forma es usar el comando **Ir a**, situado en la Cinta de opciones, en la ficha Inicio, en el grupo Modificar, en el botón **Buscar y seleccionar**.

Guardar un libro

1. Haga clic en **Guardar** (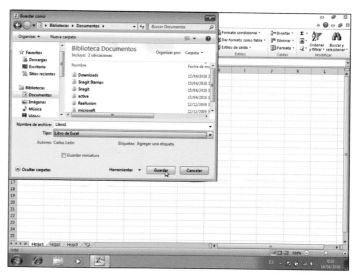) de la barra de herramientas de acceso rápido.

2. Si es la primera vez que guarda el libro actual, se abrirá el cuadro de diálogo Guardar como. Especifique la ubicación del archivo y, en Nombre de archivo, escriba el nombre que desee poner al archivo. En Tipo, indique el tipo de formato en el que quiere guardar el libro. El formato habitual de Excel 2010 tiene la extensión `.xlsx`, mientras que las versiones anteriores a Excel 2007 utilizan la extensión `.xls`.

Introducir texto y números

1. Haga clic sobre la celda en la que desea introducir datos, por ejemplo, sobre A1.

2. Escriba el texto o el número que desee.

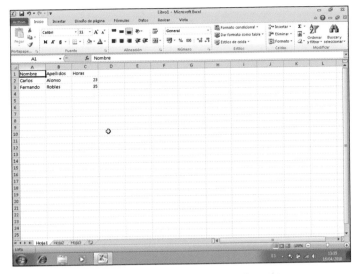

3. Pulse la tecla **Intro**. El texto o el número introducido aparecerán en la celda. El foco habrá pasado a la celda inmediatamente debajo. Si hace clic de nuevo sobre la celda en la que ha introducido el texto o el número, verá que en la barra de fórmulas también aparece la información introducida. En el cuadro de nombres aparecerá la identificación de la celda activa, por ejemplo: A1.

Nota: El texto se alinea automáticamente a la izquierda, mientras que los números lo hacen a la derecha.

Introducir saltos de línea en el texto de una celda

Si está introduciendo texto en una celda y quiere seguir escribiendo en una segunda línea dentro de la misma celda, los pasos a seguir son:

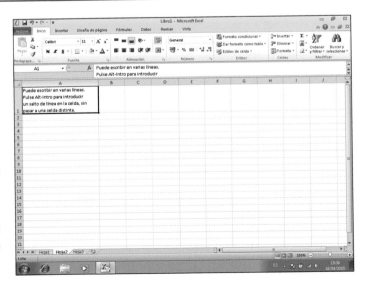

1. Haga clic en la celda para introducir los datos.

2. Escriba la primera línea de datos o texto.

3. Pulse **Alt-Intro**.

4. Siga introduciendo datos en la segunda línea, dentro de la misma celda.

Introducir fechas y horas

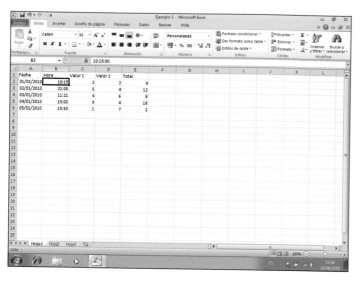

Excel puede identificar si el dato introducido es una fecha siempre que se utilice un formato típico de fecha. Los siguientes ejemplos serían identificados de manera automática como fechas: **01/01/2010**, **01-01-10**, **1 enero**, **ene-10**. Lo mismo pasa con las horas si se utilizan formatos del tipo **10:15**, **22:15:00**, **22:15 PM**. La barra de fórmulas mostrará el valor realmente almacenado, que puede tener un formato diferente al mostrado en la celda.

Introducir la fecha y hora actuales

En lugar de tener que escribir la fecha y la hora actuales, es posible hacer que Excel las introduzca en una celda de manera automática:

- **Fecha actual:** Haga clic sobre la celda y pulse **Control-;**.

- **Hora actual:** Haga clic sobre una celda y pulse **Control-Mayús-:**.

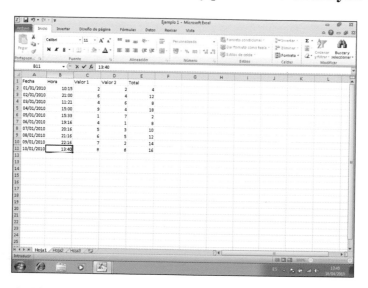

Escribir una fórmula

Los pasos para construir una fórmula son:

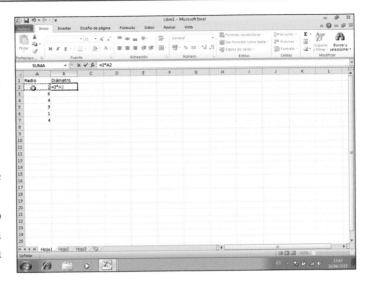

1. Haga clic sobre la celda en la que desea mostrar el resultado de la fórmula.

2. Escriba el signo igual "=".

3. Escriba **2***.

4. Haga clic sobre la celda que contiene el valor

5. Pulse la tecla **Intro** o haga clic sobre el botón **Introducir** (☑) de la barra de fórmulas.

Para realizar un cálculo entre los valores de varias celdas de la hoja de cálculo, por ejemplo: sumar dos valores y multiplicar el resultado por un tercero, los pasos a seguir son los siguientes:

1. Haga clic sobre la celda en la que desea introducir el cálculo.

2. Escriba el signo igual "=".

3. Escriba el carácter de abrir paréntesis "**(**".

4. Haga clic sobre la celda cuyo valor quiere sumar.

5. Escriba el signo de suma "+".

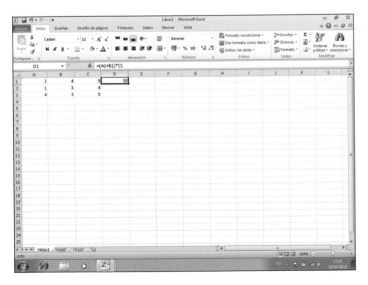

6. Haga clic sobre la celda del segundo valor que quiere sumar.

7. Escriba el carácter cerrar paréntesis "**)**".

8. Escriba el signo de multiplicación: el asterisco "*".

9. Haga clic sobre la celda del valor por el que quiere multiplicar la suma de los valores anteriores.

10. Pulse **Intro**.

Modificar el contenido de una celda

Para modificar el contenido de una celda:

1. Haga doble clic sobre la celda cuyo contenido desea modificar.

2. Realice las modificaciones pertinentes. Puede utilizar las teclas de cursor para desplazar el punto de edición dentro de la celda.

3. Una vez hechos los cambios, pulse **Intro** o haga clic sobre **Introducir** (☑) de la barra de fórmulas.

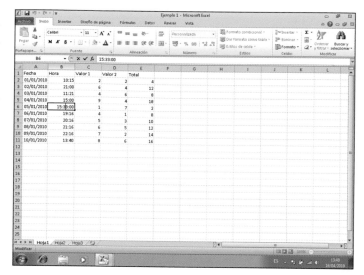

Reemplazar todo el contenido de una celda

Para reemplazar todo el contenido de una celda:

1. Haga un único clic sobre la celda cuyo contenido desea reemplazar.

2. Escriba el nuevo contenido, que puede ser de un tipo completamente distinto al anterior (si tenía texto, por ejemplo, ahora puede incluir números). El nuevo contenido sustituye de manera automática el anterior.

3. Una vez finalizado, pulse **Intro** o haga clic sobre el botón **Introducir** (☑) de la barra de fórmulas.

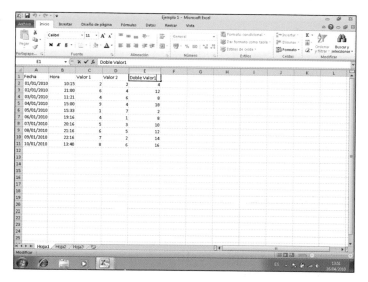

Eliminar el contenido de una celda

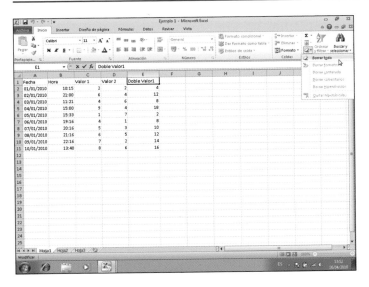

Para eliminar el contenido de una celda:

1. Haga clic en la celda cuyo contenido desea eliminar.

2. Pulse la tecla **Supr**.

También puede utilizar el comando **Borrar todo** (⬛) que se encuentra en la Cinta de Opciones, pestaña Inicio, grupo Modificar.

Modificar una fórmula

Muchas veces querremos modificar o editar una fórmula existente, a continuación veremos como hacerlo:

1. Haga doble clic sobre la celda que contiene el resultado de la fórmula. En ese caso, en lugar del resultado, ahora aparece la fórmula utilizada.

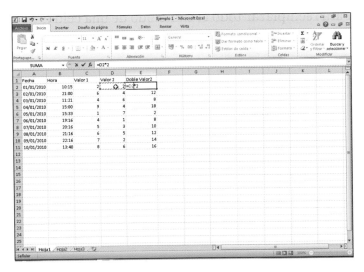

2. Realice los cambios necesarios. Si quiere cambiar una constante o un signo, simplemente hágalo utilizando el teclado. Si quiere sustituir el identificador de una celda utilizada como operador por otro, por ejemplo, sustituir **C2** por **D2**, puede hacerlo escribiendo el nuevo valor, o puede seleccionarlo y hacer clic sobre la celda cuyo valor quiere utilizar como nuevo operador. Siguiendo el ejemplo, seleccionar **C2** en la fórmula, y hacer clic sobre la celda **D2**.

3. Pulse **Intro**.

Utilizar la barra de fórmulas para editar

Si selecciona una celda en una hoja de cálculo, su contenido aparecerá reflejado en la barra de fórmulas. También puede realizar los cambios en esta barra en lugar de hacerlo directamente en la celda.

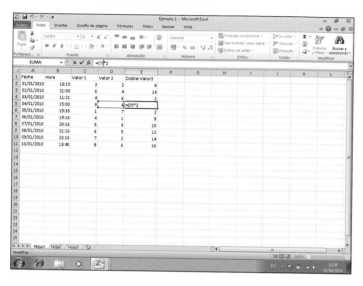

1. Haga clic sobre la superficie de la celda cuyo contenido desea modificar.

2. Haga clic sobre la barra de fórmulas.

3. Realice los cambios igual que si estuviese editando directamente en la celda.

4. Pulse la tecla **Intro** o bien haga clic sobre el botón **Introducir** (☑) de la barra de fórmulas.

Descartar los cambios

Si se encuentra modificando el valor de una celda, ya sea en la barra de fórmulas o en la celda, y quiere descartar los cambios y salir del modo edición, simplemente pulse la tecla **Esc** o haga clic sobre el botón **Cancelar** (☒) de la barra de fórmulas.

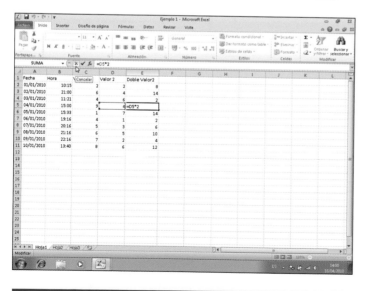

Esto únicamente tiene efecto si todavía se encuentra editando el valor de la celda, no si ya ha pulsado la tecla **Intro** o ha hecho clic sobre el botón **Introducir** (☑) de la barra de fórmulas. En este caso tendrá que intentar deshacer los cambios, proceso que describe más adelante.

Deshacer los cambios

Puede deshacer los cambios de dos maneras:

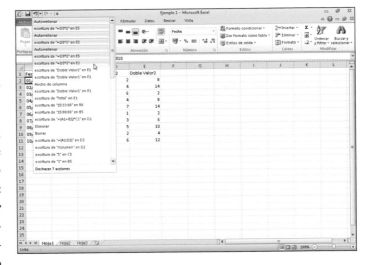

- **Pulsando la combinación de teclas Control-Z:** Cada vez que pulse las teclas **Control-Z** se deshará un cambio, empezando por el último realizado.

- **Utilizando el botón Deshacer de la barra de herramientas de acceso rápido:** Haciendo clic sobre el botón **Deshacer** (⬩) se deshace un cambio, empezando por el último realizado. Haciendo clic sobre la flecha de este botón, se pueden ver los cambios realizados. Llevando el cursor del ratón por la lista, se pueden seleccionar múltiples cambios que se pueden deshacer de una vez, haciendo clic sobre el último cambio que se quiere realizar.

Rehacer los cambios

Puede rehacer un cambio que haya deshecho utilizando el botón **Rehacer** (⬩) de la barra de herramientas de acceso rápido, o pulsando **Control-Y**.

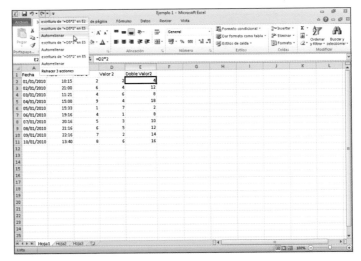

Para rehacer varios cambios consecutivos al mismo tiempo, haga clic sobre la flecha del botón **Rehacer**, para mostrar un listado de los cambios que se pueden rehacer. Desplace el cursor del ratón por la lista hasta llegar al último cambio que quiere rehacer, y haga clic sobre dicho cambio.

Capítulo 2
Trabajar
en un libro

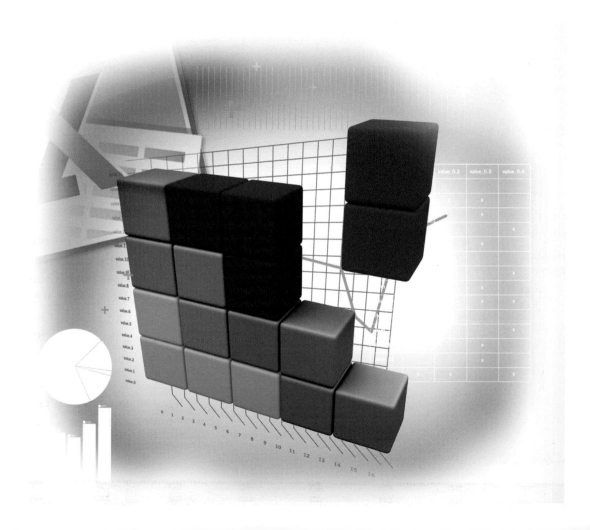

Qué es un rango de celdas

Un rango es un conjunto de celdas contiguas. Se identifican utilizando la celda de la esquina superior izquierda y la celda de la esquina inferior derecha del rango, separadas por el signo dos puntos "(:)". Por ejemplo, los siguientes son indicadores de rangos:

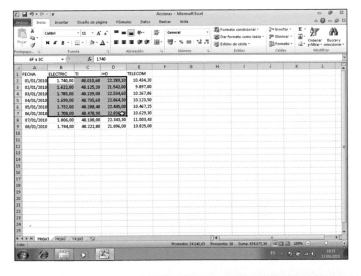

- **A1:A3:** Define un rango formado por las tres primeras celdas de la columna **A**.

- **A1:B1:** Define un rango formado por las tres primeras celdas de la fila **1**.

- **A1:B3:** Define el rango formado por 9 celdas, en dos columnas y tres filas.

Existen varias maneras de seleccionar un rango: por medio del ratón, el teclado, el cuadro de nombres, la tecla **F8** o el comando Ir a.

Seleccionar un rango con el ratón

1. Haga clic sobre la celda de una esquina del rango que desea seleccionar, y mantenga pulsado el botón del ratón.

2. Arrastre el cursor del ratón hasta la esquina opuesta del rango que desea seleccionar y suelte el botón del ratón. El rango aparecerá seleccionado, con un marco negro a su alrededor.

Para anular la selección de un rango, basta con hacer clic sobre cualquier zona de la hoja de cálculo.

Seleccionar un rango con el teclado

Existen dos formas de seleccionar un rango por medio del teclado: mediante la tecla **Mayús** y mediante la tecla **F8**. Veremos primero cómo utilizar la tecla **Mayús**. Los pasos a seguir son:

1. Colóquese en la celda de una esquina del rango que desea seleccionar.

2. Pulse la tecla **Mayús**, y con ella pulsada, desplácese utilizando las teclas de cursor hasta llegar a la esquina opuesta del rango de celdas que desea seleccionar.

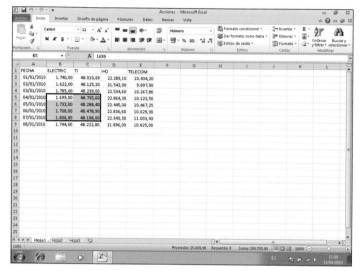

Veremos ahora la forma de seleccionar un rango utilizando la tecla **F8**. En la Barra de estado aparecerá el texto Ampliar selección para indicar que esta acción está activada.

1. Active la celda de una esquina del rango que desea seleccionar.

2. Pulse **F8**.

3. Desplácese hasta la celda de la esquina opuesta del rango que desea seleccionar. Puede desplazarse usando el teclado o haciendo clic con el ratón sobre la celda de la esquina opuesta.

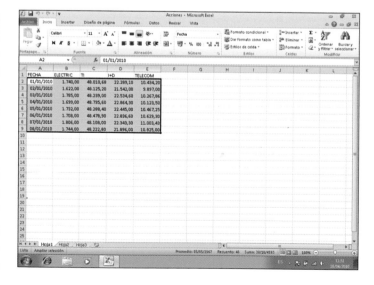

4. Una vez seleccionado el rango, vuelva a pulsar la tecla **F8**. El texto Ampliar selección desaparecerá de la Barra de estado indicando que la acción de selección se ha desactivado.

Seleccionar un rango con el Cuadro de nombres

1. Haga clic sobre el Cuadro de nombres, situado junto a la Barra de fórmulas.

2. Escriba el identificador del rango que desea seleccionar. Recuerde que está formado por la identificación de las celdas de sus esquinas superior izquierda e inferior derecha, separados por el signo de dos puntos "(:)", por ejemplo: **B4:C8**.

3. Pulse **Intro**. El rango quedará seleccionado y, en el Cuadro de nombres, aparecerá la identificación de la celda superior izquierda del rango.

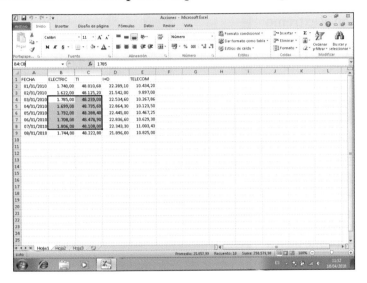

Seleccionar un rango con el comando Ir a

1. En la ficha Inicio, haga clic sobre el botón **Buscar y seleccionar** del grupo Modificar y, en el menú desplegable del botón, ejecute el comando Ir a.

2. En el cuadro de texto Referencia, del cuadro de diálogo Ir a, escriba el identificador del rango que desea seleccionar. Por ejemplo: **B4:C8**.

3. Haga clic sobre el botón **Aceptar**.

Seleccionar rangos no contiguos con la tecla Control

Para seleccionar rangos no contiguos podemos hacer uso de la tecla **Control**:

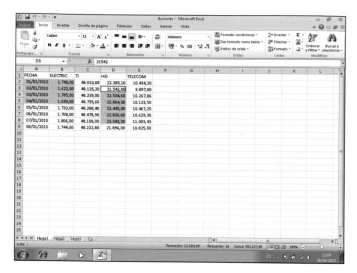

1. Seleccione el primer rango de celdas.

2. Mantenga pulsada la tecla **Control**.

3. Con el ratón, seleccione otro rango. Repita esta operación en tantos rangos como desee seleccionar.

Seleccionar rangos no contiguos con el Cuadro de nombres

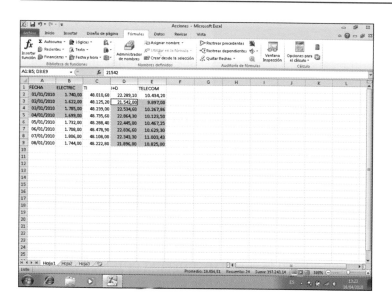

En el cuadro de nombres, escriba los identificadores de los rangos que desea seleccionar, separados por un punto y coma "(;)". Algunos ejemplos serían: **A1:E1;C3:D7** ó **B2:B8;D2:8**.

Nota: Seleccionar rangos no continuos también se denomina "selección múltiple". Existen algunos comandos que no se pueden ejecutar en selecciones múltiples. En estos casos, al intentar ejecutar el comando, aparecerá un mensaje indicando que no se puede realizar.

Seleccionar rangos no contiguos con la tecla F8

También podemos seleccionar rangos no contiguos haciendo uso de la tecla **F8**:

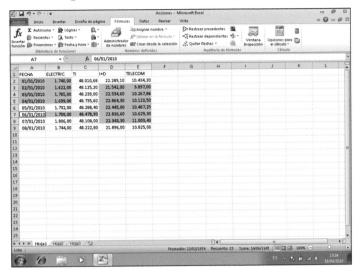

1. Seleccione el primer rango de celdas.
2. Pulse la combinación de teclas **Mayús-F8**.
3. Con el ratón, seleccione otro rango. Puede seguir seleccionando más rangos y, una vez haya terminado de seleccionarlos, vuelva a pulsar **Mayús-F8**.

Seleccionar rangos no contiguos con el comando Ir a

1. En la ficha Inicio, haga clic sobre el botón **Buscar y seleccionar** del grupo Modificar y, en el menú desplegable del botón, ejecute el comando Ir a.
2. En el cuadro de texto Referencia del cuadro de diálogo **Ir a**, escriba los identificadores de los rangos que desea seleccionar, separados por un punto y coma "(;)". Por ejemplo: **A2:D2;A5:D5**.
3. Haga clic sobre el botón **Aceptar**.

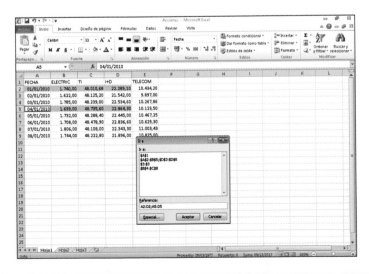

Seleccionar todas las celdas de una hoja de cálculo

Haga clic sobre el cuadro (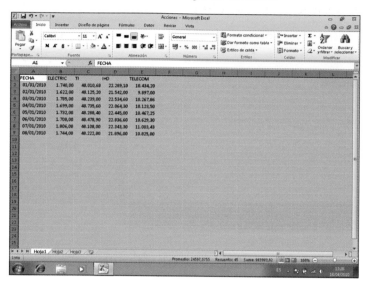) situado en la intersección de los encabezados de fila y de columna, es decir, el cuadro situado encima de la fila 1 y a la izquierda de la columna A. Se seleccionarán todas las celdas de la hoja de cálculo.

Seleccionar celdas especiales

Realice los siguientes pasos para seleccionar celdas especiales:

1. En la ficha Inicio, en el grupo Modificar, haga clic sobre el botón **Buscar y seleccionar** y, a continuación, ejecute el comando Ir a especial.

2. En el cuadro de diálogo Ir a especial, seleccione el tipo de celda que quiere seleccionar.

3. Finalmente, haga clic sobre el botón **Aceptar**.

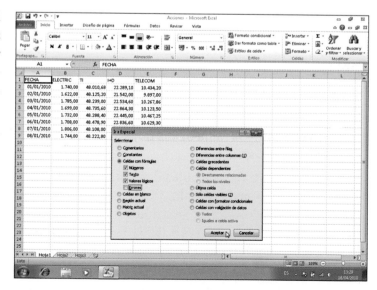

Seleccionar hojas de cálculo

Para seleccionar una hoja de cálculo de un libro, sólo hay que hacer clic sobre su ficha, en la parte inferior de la ventana. De forma predeterminada, al abrir un libro, la primera hoja siempre aparece seleccionada.

Para seleccionar varias hojas de cálculo adyacentes:

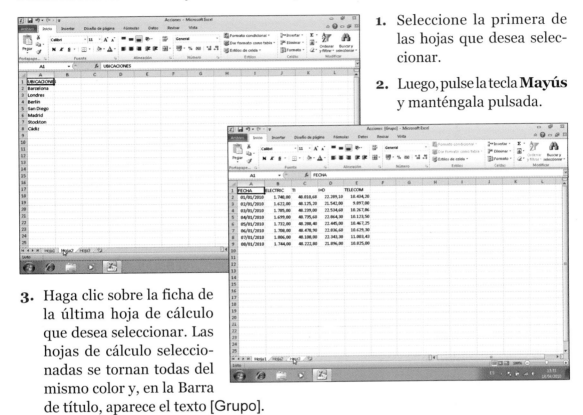

1. Seleccione la primera de las hojas que desea seleccionar.

2. Luego, pulse la tecla **Mayús** y manténgala pulsada.

3. Haga clic sobre la ficha de la última hoja de cálculo que desea seleccionar. Las hojas de cálculo seleccionadas se tornan todas del mismo color y, en la Barra de título, aparece el texto [Grupo].

Para seleccionar varias hojas de cálculo no adyacentes:

1. Seleccione la primera de las hojas que desea seleccionar.

2. Mantenga pulsada la tecla **Control**.

3. Haga clic sobre la ficha de las hojas que desea seleccionar. Una vez haya finalizado, suelte la tecla **Control**.

Para seleccionar todas las hojas de un libro, haga clic con el botón derecho del ratón en la ficha de una hoja de cálculo, y ejecute el comando Seleccionar todas las hojas.

Para anular la selección de múltiples hojas de cálculo, basta con hacer clic sobre una hoja de cálculo no seleccionada. Si se han seleccionado todas las hojas de cálculo, haga clic con el botón derecho del ratón sobre la ficha de una hoja de cálculo, y ejecute el comando Desagrupar hojas.

Añadir una hoja de cálculo nueva

Para añadir una nueva hoja de cálculo a un libro, simplemente haga clic sobre el control Insertar hoja de cálculo (▣), situado a la derecha de las fichas de las hojas de datos del libro, en la parte inferior de la ventana. También puede hacerlo pulsando **Mayús-F11**. Una tercera forma de hacerlo es la siguiente:

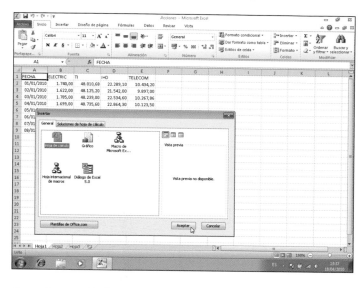

1. Haga clic con el botón derecho del ratón sobre la ficha de una hoja de datos del libro.

2. En el menú que aparece en pantalla, ejecute el comando Insertar.

3. En la ficha General del cuadro de diálogo Insertar, seleccione la opción Hoja de cálculo.

4. Finalmente, haga clic sobre el botón **Aceptar**.

Otra forma de hacerlo es:

1. En la ficha Inicio de la Cinta de Opciones, en el grupo Celdas, haga clic sobre la flecha desplegable del botón **Insertar**.

2. Ejecute el comando Insertar hoja.

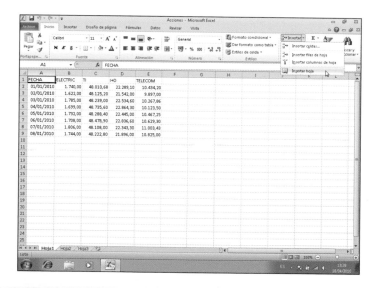

Cambiar el nombre de una hoja de cálculo

1. Haga doble clic en la ficha de la hoja de datos cuyo nombre quiere cambiar.
2. Escriba el nuevo nombre y pulse **Intro**.

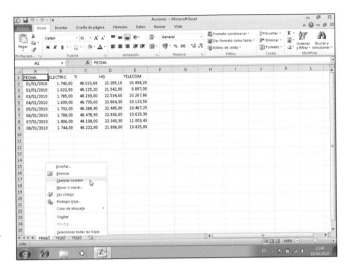

Otra forma de hacerlo es:

1. Haga clic con el botón derecho del ratón sobre la ficha de la hoja cuyo nombre desea cambiar.
2. Seleccione la opción Cambiar nombre.
3. Escriba el nuevo nombre y pulse **Intro**.

Nota: Este cambio no se puede deshacer utilizando el comando Deshacer o pulsando Control-Z.

Eliminar una hoja de cálculo

Puede eliminar una hoja de cálculo de su documento cuando lo estime necesario:

1. Haga clic con el botón derecho del ratón en la ficha de la hoja a eliminar.
2. Ejecute el comando Eliminar.

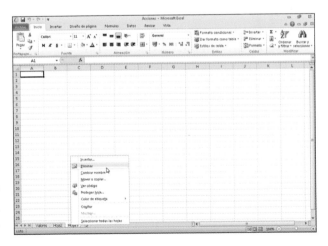

Otra forma de hacerlo es:

1. Seleccione la hoja que desea eliminar.
2. En la ficha Inicio de la Cinta de Opciones, en el grupo **Celdas**, haga clic sobre la flecha desplegable del botón **Eliminar**.
3. Ejecute el comando Eliminar hoja del menú.

Eliminar varias hojas de cálculo al mismo tiempo

Cuando quiera eliminar varias hojas de cálculo al mismo tiempo puede hacerlo de la siguiente forma:

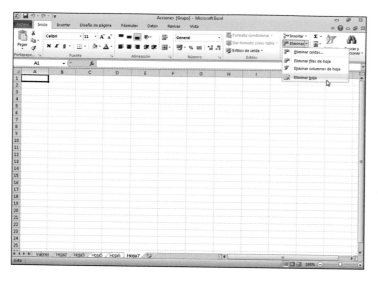

1. Seleccione las hojas de cálculo que desea eliminar en el libro.

2. En la ficha Inicio de la Cinta de Opciones, en el grupo Celdas, haga clic sobre la flecha desplegable del botón **Eliminar**.

3. Ejecute el comando Eliminar hoja.

Mover una hoja de datos con el ratón

Para cambiar la posición de una hoja de cálculo dentro del libro, los pasos a seguir son los siguientes:

1. Haga clic sobre la hoja que desea mover y arrastre hacia la derecha o izquierda hasta colocar la hoja en la posición deseada. Una pequeña flecha negra indicará la posición en la que se incluirá la hoja.

2. Una vez localizada la posición en la que desea colocar la hoja, suelte el botón del ratón. La hoja cambiará de posición

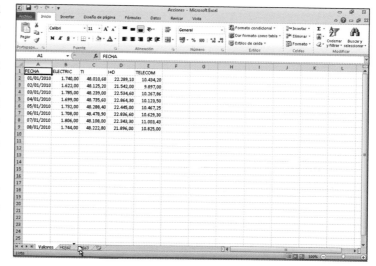

dentro del libro. En caso de error, este cambio no se puede corregir con el comando Deshacer.

Mover una hoja con Mover o copiar

Para mover una hoja:

1. Haga clic con el botón derecho del ratón sobre la ficha de la hoja de cálculo que desea mover.

2. Seleccione la opción Mover o copiar.

3. En el listado Antes de la hoja, seleccione la hoja de cálculo frente a la que quiere colocar la hoja seleccionada. Si desea colocarla al final del todo, seleccione la opción (mover al final).

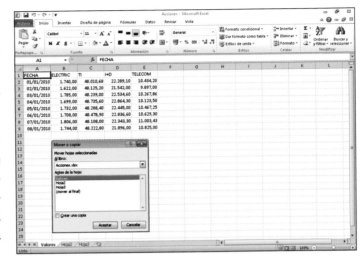

4. Haga clic sobre el botón **Aceptar**.

Mover varias hojas al mismo tiempo

Para mover varias hojas:

1. Seleccione las hojas que desea mover al mismo tiempo. Puede utilizar la tecla **Control** para seleccionar hojas no consecutivas y para las consecutivas **Mayús**.

2. Haga clic sobre la ficha de una de las hojas seleccionadas y, sin soltar el botón del ratón, arrastre hacia la derecha o la izquierda hasta colocar las hojas en la posición deseada. En el cursor del ratón aparece un icono que representa un conjunto de documentos. Una pequeña flecha negra indicará la posición en la que se incluirán las hojas.

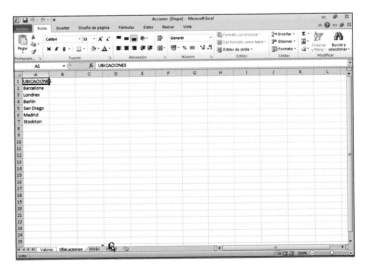

3. Una vez localizada la posición deseada, suelte el botón del ratón.

Copiar una hoja de cálculo

Para copiar una hoja de cálculo:

1. Seleccione la hoja que desea copiar.

2. Mantenga pulsada la tecla **Control** y arrastre la hoja de la copia hasta el lugar donde desea colocarla. En el cursor del ratón aparecerá el icono de un documento con el signo "(+)" en su interior para indicar que se va a realizar una copia.

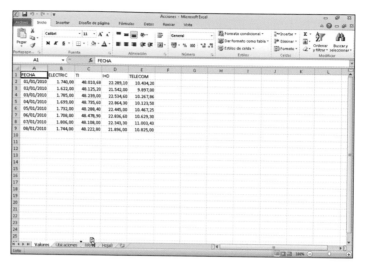

3. Suelte el botón del ratón. La copia de la hoja seleccionada aparecerá en la posición elegida.

Copiar una hoja de cálculo utilizando Mover y copiar

Puede copiar una hoja de cálculo con el siguiente comando:

1. Haga clic con el botón derecho del ratón sobre la ficha de la hoja de cálculo que desea copiar.

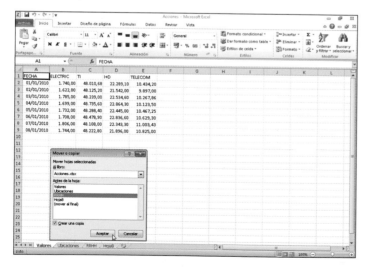

2. Ejecute el comando Mover y copiar.

3. Active la opción Crear una copia.

4. En el listado Antes de la hoja, seleccione la hoja de cálculo frente a la que quiere colocar la copia. Si desea colocarla al final del todo, seleccione la opción (mover al final).

5. Haga clic sobre el botón **Aceptar**.

Copiar varias hojas al mismo tiempo

Veamos como copiar varias hojas al mismo tiempo:

1. Seleccione las hojas que desea copiar.

2. Mantenga pulsada la tecla **Control** y arrastre el cursor del ratón hasta el lugar donde desea colocar las copias. En el cursor del ratón aparecerá el icono de varios documentos con el signo "(+)" en su interior, para indicar que se va a realizar una copia.

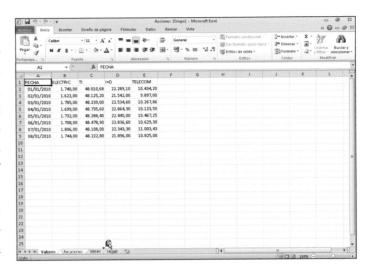

3. Suelte el botón del ratón. Las copias de las hojas seleccionadas aparecerán en la posición elegida.

Copiar y mover hojas de cálculo a otro libro

1. Abra los dos libros de forma que ambos se vean como ventanas flotantes en la zona de trabajo de Excel. Para ello utilice el botón **Restaurar/Maximizar** del libro. Es necesario que se vean bien las fichas de las hojas de cálculo de ambos libros.

2. Seleccione la hoja u hojas del primer libro que desea copiar o mover al segundo libro.

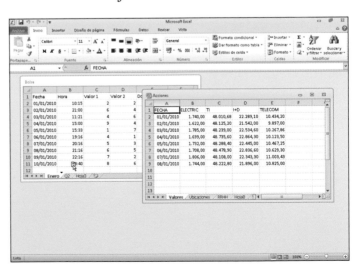

3. Si lo que desea es mover, haga clic sobre la hoja u hojas seleccionadas y arrástrelas hasta la zona de las fichas de las hojas del segundo libro, y suelte el botón del ratón. Si lo que desea es copiar las hojas, arrastre manteniendo pulsada la tecla **Control**.

Ocultar una hoja de datos

Para ocultar una hoja de datos:

1. Haga clic con el botón derecho del ratón sobre la ficha de la hoja de cálculo que desea ocultar.

2. En el menú que aparece, ejecute el comando Ocultar. La hoja desaparecerá pero no se borrará.

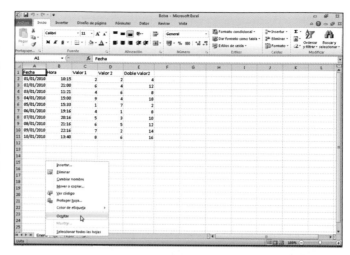

 Nota: Es posible ocultar varias hojas al tiempo. Para ello, seleccione las hojas que desea ocultar y repita los pasos de este proceso. No es posible ocultar todas las hojas de un libro. Es necesario que, al menos, una permanezca visible.

Mostrar una hoja de cálculo oculta

Pasos para mostrar una hoja de cálculo oculta:

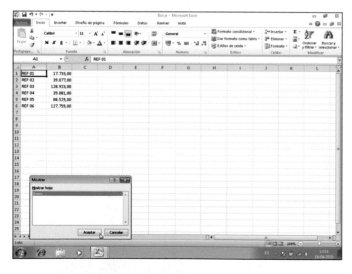

1. Haga clic con el botón derecho del ratón sobre la ficha de cualquiera de las hojas de cálculo del libro.

2. En el menú que aparece, ejecute el comando Mostrar.

3. En el cuadro de diálogo Mostrar, seleccione la hoja oculta que desea volver a mostrar y haga clic sobre el botón **Aceptar**.

Vistas de una hoja de cálculo

Las tres vistas de una hoja de cálculo son Vista Nomal, Vista Diseño de página y Vista Previa de salto de página. Para pasar de una vista a otra, utilice los tres botones situados en la parte derecha de la barra de estado, junto al control de Zoom.

- **Vista Normal:** (⊞) Es la vista clásica de las hojas de cálculo, la que se utiliza de forma predeterminada. Los límites de páginas se muestran con líneas de puntos, aunque no aparecen hasta que no se realiza una impresión, una Vista Preliminar o se cambia a Vista Diseño de la página al menos una vez.
- **Vista Diseño de página:** (⊟) Permite ver el diseño que tendrá la página una vez impresa y, al mismo tiempo, seguir trabajando en los datos de la hoja de cálculo. Desde esta vista se tiene acceso a todos los comandos y herramientas de Excel.
- **Vista previa de salto de página:** (⊟) Permite ver el emplazamiento de los saltos de página y modificarlos de forma manual.

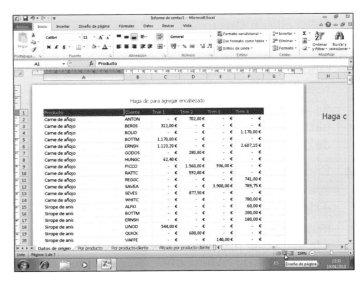

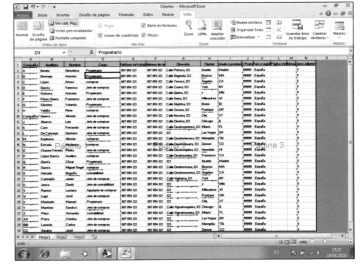

Nota: También puede utilizar los comandos correspondientes del grupo Vistas de libro de la ficha Vista de la Cinta de Opciones.

Ver ventanas en paralelo

Puede que quiera trabajar de manera simultánea con dos hojas de cálculo, por ejemplo, para facilitar la acción de copiar o mover hojas de un libro a otro, o para comparar el contenido de dos hojas de cálculo, o para ver en todo momento toda la información de una hoja de cálculo con muchas columnas.

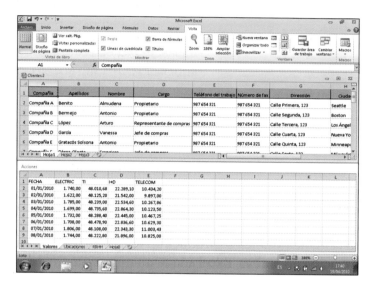

1. En la ficha Vista, en el grupo Ventana, haga clic sobre el botón **Ver en paralelo** (🔲).

2. Si desea que las dos ventanas estén sincronizadas, de forma que, cuando se desplaza en vertical u horizontal por una de ellas, en la otra ventana se produzca el mismo cambio, active el botón **Desplazamiento sincrónico** (🔲) situado justo debajo del anterior.

Organizar ventanas

Cuando tiene varias ventanas abiertas, puede querer organizarlas de forma que pueda verlas todas colocadas en la pantalla de una determinada manera: en cascada, en vertical, en horizontal o en mosaico.

1. Abra los libros o ventanas con las que desea trabajar al mismo tiempo.

2. En la ficha Vista de la Cinta de Opciones, en el grupo Ventana, haga clic sobre Organizar todo.

3. Seleccione el tipo de organización en pantalla con el que desea trabajar.

4. Haga clic sobre el botón **Aceptar**.

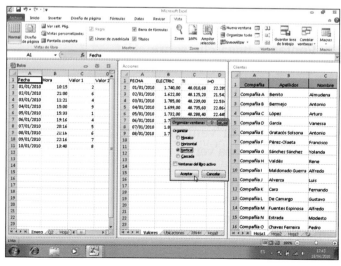

Dividir la hoja de cálculo en paneles

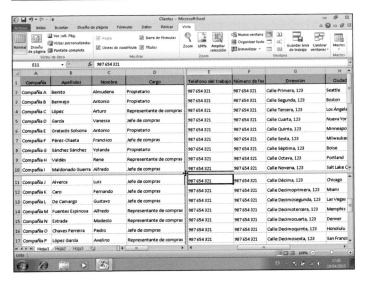

1. Abra la hoja de cálculo que quiere mostrar dividida en paneles.
2. En la ficha Vista de la Cinta de Opciones, en el grupo Ventana, haga clic sobre la opción Dividir (▥).
3. La división en paneles se realiza partiendo de la celda activa. Si desea mover los ejes de los paneles, coloque el cursor del ratón en su intersección y arrastre hasta la posición deseada.

 Nota: Para volver a ver de forma habitual la hoja, vuelva a hacer clic sobre la opción Dividir de la Cinta de Opciones.

Inmovilizar la primera fila o columna de una hoja

Para inmovilizar la primera fila o columna de una hoja:

1. Abra la hoja de cálculo cuya primera fila o columna desea inmovilizar.
2. En la ficha Vista de la Cinta de Opciones, en el grupo Ventana, haga clic sobre la opción Inmovilizar.
3. Seleccione Inmovilizar fila superior o Inmovilizar primera columna. Al desplazarse hacia abajo o hacia la derecha, los datos de la primera fila o de la primera columna permanecerán fijos, en función de su elección.

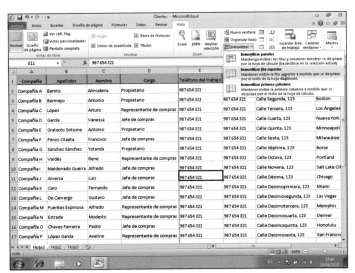

Inmovilizar un panel cualquiera

Puede que quiera inmovilizar más de una fila o columna, o que desee inmovilizar a la vez ciertas filas y columnas. Para ello, siga estos pasos:

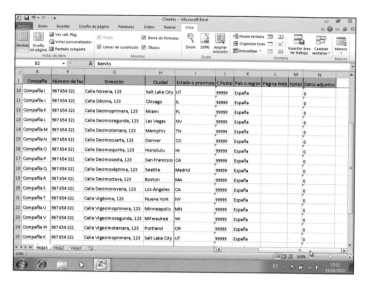

1. Active la celda situada justo debajo de la última fila y justo a la derecha de la última columna que quiere inmovilizar. Por ejemplo: para inmovilizar la primera columna y la primera fila, active la celda **B2**.

2. En la ficha Vista de la Cinta de Opciones, en el grupo Ventana, haga clic sobre Inmovilizar.

3. Seleccione la opción Inmovilizar paneles.

Movilizar paneles inmovilizados

Para movilizar paneles inmovilizados:

1. En la ficha Vista de la Cinta de Opciones de Excel, en el grupo Ventana, haga clic sobre Inmovilizar.

2. Seleccione la opción Movilizar paneles.

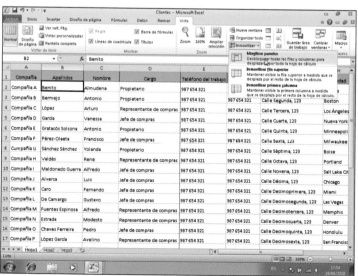

Ocultar la ventana de un libro

Para ocultar la ventana de un libro:

1. Active la ventana del libro que desea ocultar.

2. En la ficha Vista de la Cinta de Opciones, en el grupo Ventana, haga clic en el botón **Ocultar ventana** (□). La ventana desaparece.

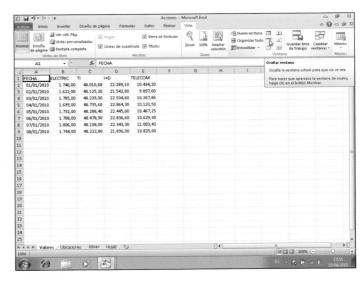

Mostrar una ventana oculta

Para mostrar una ventana oculta:

1. En la ficha Vista de la Cinta de Opciones, en el grupo Ventana, haga clic sobre la opción **Mostrar ventana** (□). Aparecerá el cuadro de diálogo Mostrar, donde se incluye un listado de los libros que se han ocultado.

2. Seleccione el libro oculto previamente que desea volver a mostrar.

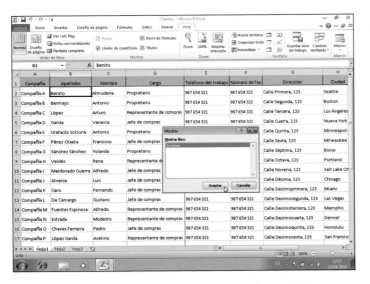

3. Haga clic sobre el botón **Aceptar**. La ventana del libro volverá a aparecer en la ventana de Excel.

Cambiar el nivel de zoom desde la barra de estado

1. Sitúe el cursor del ratón sobre el control deslizante de zoom, situado en la esquina inferior derecha de la ventana, en la Barra de estado.

2. Haga clic sobre el control y arrastre hacia la derecha para aumentar el porcentaje de zoom, o hacia la izquierda, reduciendo así el porcentaje, lo que le permitirá ver más elementos en la ventana.

Cambiar el nivel de zoom desde la Cinta de Opciones

La Cinta de Opciones presenta varias herramientas que permiten modificar el nivel de zoom de la ventana de trabajo. Estas opciones se encuentran en la ficha Vista, en el grupo Ventana, y son:

- **Ampliar selección:** Aumenta el nivel de zoom para que el rango de celdas seleccionado ocupe toda la ventana, hasta un nivel máximo de un 400 por cien.

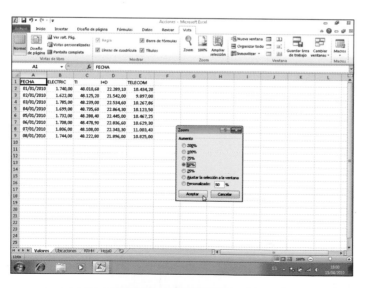

- **100 por cien:** Devuelve el nivel de zoom de la ventana al nivel de visualización normal.

- **Zoom:** Abre el cuadro de diálogo Zoom, donde se puede especificar un nivel de zoom personalizado, o donde se puede elegir entre los distintos niveles predeterminados que incluye el cuadro de diálogo.

Insertar una nueva fila

Para insertar una nueva fila:

1. Haga clic sobre una celda de la fila sobre la que desea insertar la nueva fila.

2. En la ficha Inicio de la Cinta de Opciones, en el grupo Celdas, haga clic sobre la flecha desplegable del botón **Insertar**.

3. Seleccione la opción Insertar filas de hoja. La nueva fila se insertará encima de la fila seleccionada.

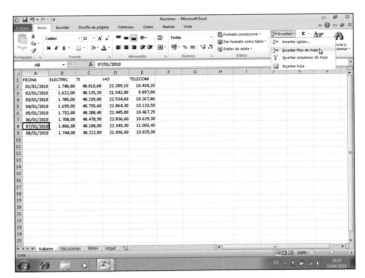

Nota: También puede hacer clic con el botón derecho del ratón sobre el encabezado de una fila y seleccionar el comando Insertar. La nueva fila aparecerá justo encima de dicha fila.

Insertar una nueva columna

Para insertar una nueva fila:

1. Haga clic sobre una celda de la columna a cuya izquierda quiere añadir una nueva columna.

2. En la ficha Inicio de la Cinta de Opciones, en el grupo Celdas, haga clic sobre la flecha desplegable del botón **Insertar**.

3. Seleccione la opción Insertar columnas de hoja. La nueva columna aparecerá a la izquierda de la columna antes seleccionada.

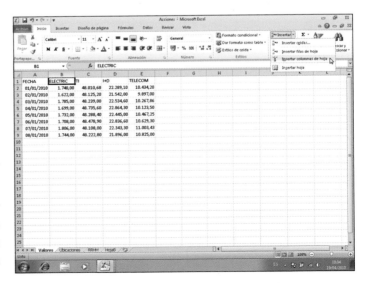

Mover una fila

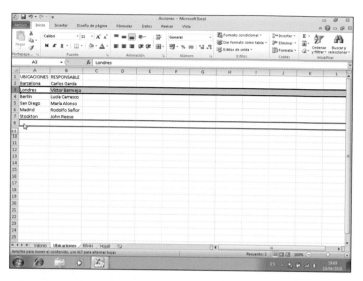

1. Haga clic sobre el encabezado de la fila que desea mover.

2. Sitúe el cursor del ratón en la línea entre el encabezado de fila y la primera celda de la fila. Cuando en el cursor del ratón aparezca una cuádruple flecha negra, haga clic y, manteniendo el botón del ratón pulsado, arrastre la fila hasta la posición deseada.

Nota: Si la fila se coloca sobre una fila con datos, Excel le preguntará si desea reemplazar los datos existentes por los de la fila que está moviendo.

Mover una columna

1. Haga clic sobre el encabezado de la columna que desea mover.

2. Sitúe el cursor del ratón entre el encabezado de la columna y la primera celda de la columna y, cuando en el cursor del ratón aparezca una cuádruple flecha negra, haga clic y arrastre la columna hacia la posición deseada. Si coloca la columna sobre otra que ya contiene datos, Excel le preguntará si desea reemplazar los datos existentes.

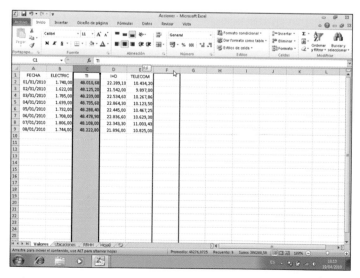

Eliminar una fila

Cuando quiera eliminar una fila puede realizar los siguientes pasos:

1. Haga clic en el encabezado de la fila a eliminar.

2. En la ficha Inicio de la Cinta de Opciones, en el grupo Celdas, haga clic sobre la flecha desplegable del botón **Eliminar**.

3. Seleccione la opción Eliminar filas de hoja.

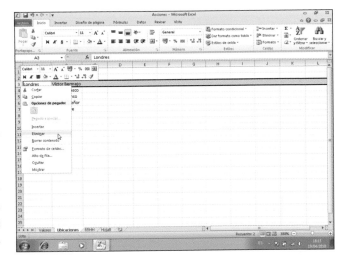

También puede hacer clic con el botón derecho del ratón sobre el encabezado de la columna que desea eliminar, y ejecutar el comando Eliminar.

Eliminar una columna

También podemos eliminar las columnas en una hoja de cálculo de Excel para ello realice los siguientes pasos:

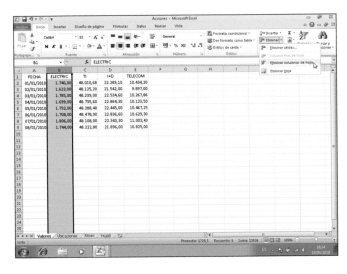

1. Haga clic sobre el encabezado de la columna que desea eliminar.

2. En la ficha Inicio de la Cinta de Opciones, en el grupo Celdas, haga clic sobre la flecha desplegable del botón **Eliminar**.

3. Seleccione finalmente la opción Eliminar columnas de hoja.

También puede hacer clic con el botón derecho del ratón sobre el encabezado de la columna que desea eliminar, y ejecutar el comando Eliminar.

Eliminar el contenido de una fila o columna

Siga los pasos para eliminar el contenido de una fila o columna de la hoja de cálculo:

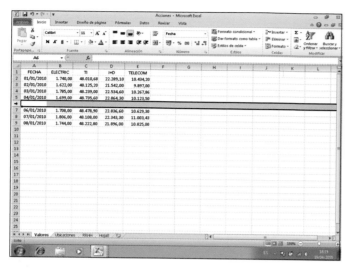

1. Seleccione la fila o columna cuyo contenido desea eliminar. Para ello, haga clic sobre el encabezado de la fila o columna correspondiente.

2. Pulse la tecla **Supr**. Se borrará el contenido, pero no la fila o la columna.

Cambiar la altura de una fila con el ratón

Para cambiar la altura de una fila con el ratón procederemos de la siguiente forma:

1. Seleccione la fila que desea modificar haciendo clic en su encabezado.

2. Sitúe el cursor en la parte superior o inferior de la fila y cuando el cursor cambie a una doble flecha vertical con una barra transversal (‡), haga clic y arrastre hacia arriba o hacia abajo, hasta conseguir la altura deseada para la fila.

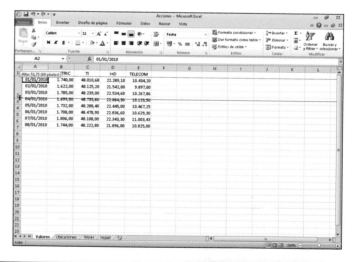

Nota: Un pequeño cuadro de información aparece indicando la altura de la fila, según vamos arrastrando el ratón.

Especificar la altura de una fila

Podemos especificar la altura de una fila de la siguiente forma:

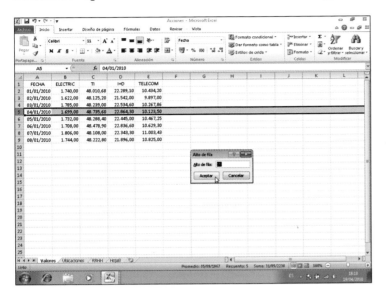

1. Seleccione la fila cuya altura desea especificar.

2. En la ficha Inicio de la Cinta de Opciones, en el grupo Celdas, haga clic sobre la flecha desplegable del botón **Formato**.

3. Seleccione luego la opción Alto de fila.

4. Especifique la altura de la fila y haga clic sobre el botón **Aceptar**.

Ajustar la altura de una fila a su contenido

Ajustaremos la altura de una fila de la siguiente forma:

1. Seleccione la fila cuya altura desea modificar.

2. Sitúe el cursor del ratón en la línea inferior que separa su encabezado de fila con el de la siguiente y, cuando el cursor del ratón cambie a una doble flecha negra con una barra transversal (⬍), haga doble clic. La altura se ajustará al contenido de la fila.

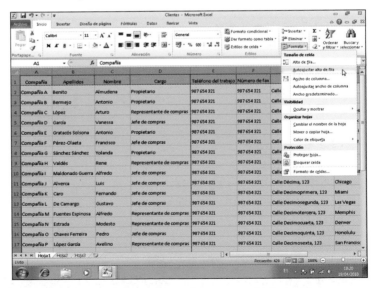

También puede hacerlo seleccionando la fila y, seguidamente, utilizar el comando Autoajustar alto de fila, que se encuentra en el botón **Formato**, grupo Celdas, ficha Inicio de la Cinta de Opciones.

Cambiar el ancho de una columna con el ratón

Cambiaremos el ancho de una columna siguiendo estos pasos:

1. Seleccione la columna que desea modificar haciendo clic sobre su encabezado.

2. Sitúe el cursor del ratón en la línea que divide el encabezado de la columna seleccionada con su anterior o posterior inmediato, hasta que el cursor del ratón se transforme en una doble flecha horizontal con una barra transversal (⬌).

3. Haga clic y arrastre hacia la derecha o hacia la izquierda, hasta conseguir la anchura deseada para la columna.

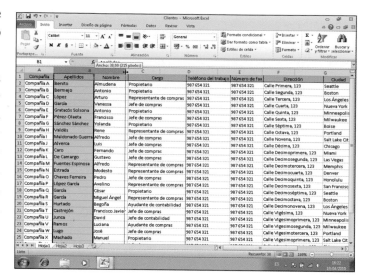

Especificar la anchura de la columna

Podemos especificar la anchura de la columna de la siguiente manera:

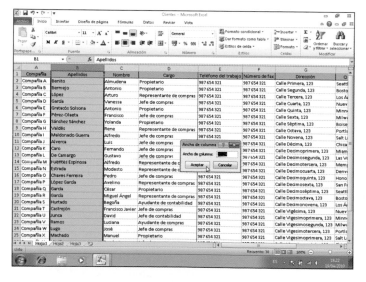

1. Seleccione la columna cuya anchura desea especificar.

2. En la ficha Inicio de la Cinta de Opciones, en el grupo Celdas, haga clic sobre la flecha desplegable del botón **Formato**.

3. Seleccione la opción Ancho de columna.

4. Especifique la anchura de la columna y haga clic sobre el botón **Aceptar**.

Ajustar el ancho de una columna a su contenido

1. Seleccione la columna cuya altura desea modificar.

2. Sitúe el cursor del ratón en la línea que separa su encabezado de columna con el de la columna siguiente y, cuando cambie a una doble flecha negra con una barra transversal (⊞), haga doble clic. La anchura se ajustará al contenido de la columna.

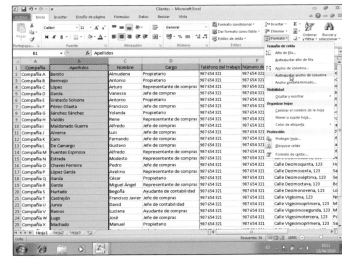

También puede hacerlo seleccionando la columna y, a continuación, usar el comando Autoajustar ancho de columna, que se encuentra en el botón **Formato**, grupo Celdas, ficha Inicio de la Cinta de Opciones.

Ocultar filas y columnas

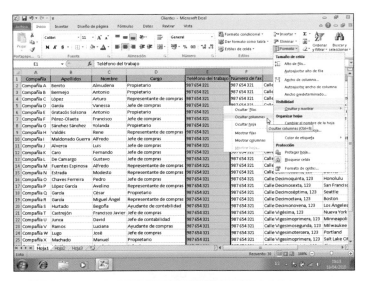

Para ocultar filas o columnas:

1. Seleccione las filas o columnas que desea ocultar.

2. En la ficha Inicio de la Cinta de Opciones, en el grupo Celdas, haga clic sobre la flecha desplegable del botón **Formato**.

3. Seleccione la opción Ocultar filas u Ocultar columnas, según proceda, del submenú Ocultar y mostrar.

Nota: Este procedimiento lo que hace es reducir al mínimo la altura de las filas y el ancho de las columnas.

Mostrar filas y columnas ocultas

Para mostrar las filas y las columnas que hayamos ocultado previamente:

1. Seleccione la fila o columna oculta. Puede hacerlo utilizando el cuadro de nombres, el comando Ir a de la Cinta de Opciones, o seleccionando las filas o columnas inmediatamente anteriores y posteriores a las ocultas, por medio de la tecla **Mayús**. De esta forma, la fila o columna oculta también quedará seleccionada.

2. A continuación, en la Cinta de Opciones, seleccione la opción Inicio>Celdas>Formato> Ocultar y mostrar>Mostrar filas o Mostrar columnas, según corresponda.

Poner nombre a un rango desde la Cinta de Opciones

Excel nos permite asignar nombres descriptivos a celdas y rangos de una hoja de datos para un mejor manejo de los mismos. Para hacerlo, siga estos pasos:

1. Seleccione el rango al que desea asignar un nombre.
2. En la ficha Fórmulas de la Cinta de Opciones de Excel, en el grupo Nombres definidos, haga clic sobre el menú desplegable de la opción Asignar nombre, y ejecute Definir nombre.
3. En el cuadro de diálogo Nombre nuevo, especifique un nombre para el rango y, seguidamente, haga clic sobre el botón **Aceptar**.

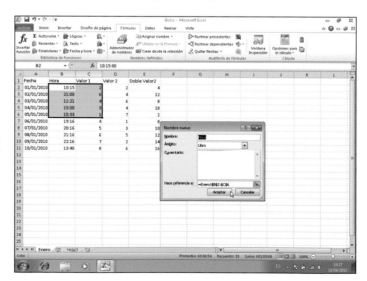

Poner nombre a un rango con el Cuadro de nombres

Excel le permite poner nombres a un rango, veamos como:

1. Seleccione el rango de celdas al que desea asignar un nombre.

2. En el Cuadro de nombres, situado a la izquierda de la barra de fórmulas, escriba el nombre que desea asignar al rango seleccionado.

3. Pulse **Intro**.

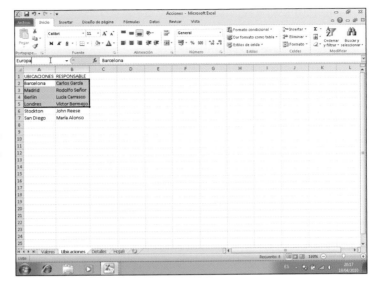

Poner nombre a un rango desde la selección

Es posible asignar como nombre de un rango el texto incluido en una celda de la hoja de datos.

1. Seleccione el rango al que desea asignar un nombre.

2. En la ficha Fórmulas de la Cinta de Opciones, en el grupo Nombres definidos, haga clic sobre la opción Crear desde la selección.

3. En el cuadro de diálogo Crear nombres a partir de la selección, active las opciones pertinentes y, seguidamente, haga clic sobre el botón **Aceptar**.

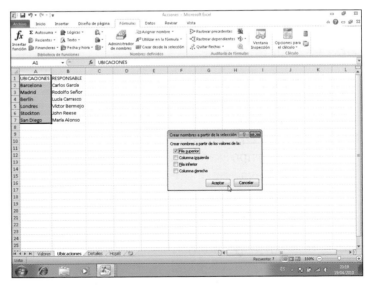

Modificar el nombre de un rango

Modificar el nombre de un rango es sencillo:

1. En la ficha Fórmulas de la Cinta de Opciones de Excel, en el grupo Nombres definidos, haga clic sobre el botón Administrador de nombres.

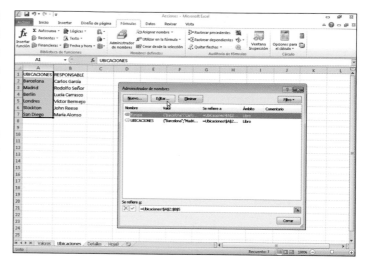

2. Seleccione el nombre de rango que desea modificar y haga clic sobre el botón **Editar**.

3. Modifique el nombre del rango y haga clic sobre **Aceptar**.

4. Haga clic sobre **Cerrar** en el cuadro de diálogo Administrador de nombres.

Eliminar un nombre de rango

Si desea eliminar un nombre de rango siga los siguientes pasos:

1. En la ficha Fórmulas de la Cinta de Opciones, en el grupo Nombres definidos, haga clic sobre el botón **Administrador de nombres**.

2. Seleccione el nombre de rango que desea eliminar, y haga clic sobre el botón **Eliminar**.

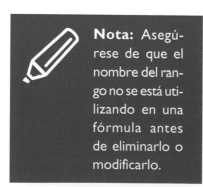

Nota: Asegúrese de que el nombre del rango no se está utilizando en una fórmula antes de eliminarlo o modificarlo.

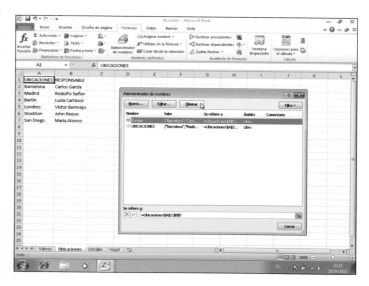

Copiar un rango arrastrando y soltando

Excel nos ofrece esta forma para poder copiar rangos:

1. Seleccione el rango que desea copiar.

2. Coloque el cursor del ratón sobre el borde del rango y, cuando se convierta en una cuádruple flecha, haga clic y mantenga pulsado.

3. Pulse la tecla **Control** y, sin soltarla, arrastre hasta donde desee emplazar la copia del rango seleccionado. Una vez allí, suelte el botón del ratón.

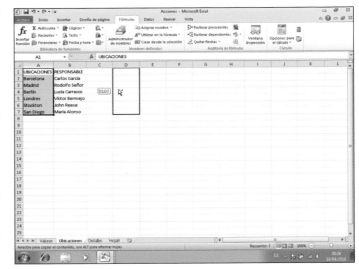

Copiar un rango con los comandos Copiar y Pegar

Usaremos Copiar y Pegar como forma más sencilla y común:

1. Seleccione el rango que desea copiar.

2. En la ficha Inicio de la Cinta de Opciones, en el grupo Portapapeles, haga clic sobre el botón **Copiar** (📋).

3. Haga clic sobre la celda de la hoja de cálculo donde desea pegar el rango copiado. Esta celda será la esquina superior izquierda del rango una vez pegado.

4. Haga clic sobre el botón **Pegar** de la Cinta de Opciones.

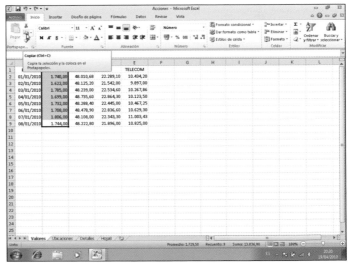

Copiar un rango utilizando teclas de método abreviado

Para copiar un rango podemos usar métodos abreviados como este:

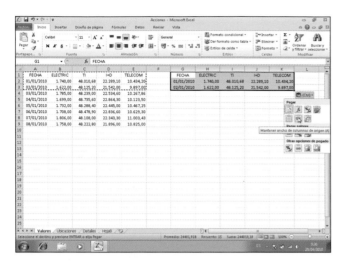

1. Seleccione el rango que desea copiar.

2. Pulse **Control-C**.

3. Haga clic sobre la celda de la hoja de cálculo donde desea pegar el rango copiado. Esta celda será la esquina superior izquierda del rango una vez pegado.

4. Pulse **Control-V**.

Nota: La etiqueta inteligente que aparece al pegar el rango proporciona varias opciones de pegado.

Copiar un rango utilizando el botón derecho del ratón

Para copiar un rango utilizando el botón derecho del ratón:

1. Seleccione el rango que desea copiar y haga clic con el botón derecho del ratón en una zona del rango seleccionado.

2. En el menú contextual que aparece, seleccione el comando Copiar.

3. Haga clic con el botón derecho del ratón sobre la celda donde desea pegar el rango copiado. Esta celda será la esquina superior izquierda del rango una vez pegado.

4. Seleccione Pegar.

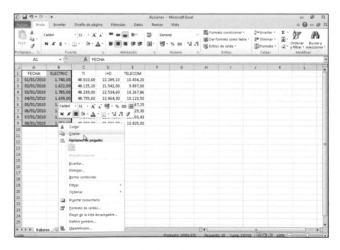

Pegar varios rangos desde el Portapapeles

Excel le permite pegar varios rangos desde el portapapeles:

1. Abra el Portapapeles haciendo clic sobre el icono (⊡) del grupo Portapapeles de la ficha Inicio de la Cinta de Opciones.

2. Seleccione el rango que desea copiar y pulse **Control-C**. Vuelva a repetir este paso para copiar varios rangos. Aparecerá una entrada en el Portapapeles por cada rango copiado.

3. Haga clic sobre la celda donde desea pegar uno de los rangos copiados y, a continuación, en el panel Portapapeles, haga clic sobre el rango que quiere pegar en la celda seleccionada. También puede hacer clic sobre la flecha desplegable que aparece al situar el cursor del ratón sobre el elemento en el panel Portapapeles y, luego, seleccionar la opción Pegar. El rango se pegará en la celda elegida.

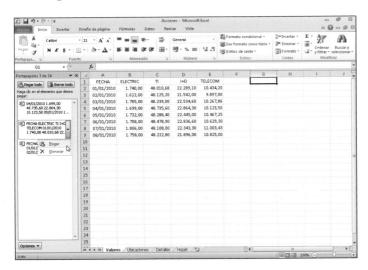

4. Vuelva a hacer clic en otra celda de la hoja donde desee pegar otro de los rangos copiados, y repita el paso 3 tantas veces como necesite. Los rangos se copian desde el Portapapeles tantas veces como queramos.

Nota: Si lo desea, también puede utilizar el botón **Pegar todo**, existente en el panel Portapapeles, para pegar de una sola vez todos los elementos incluidos en el Portapapeles.

Vaciar el Portapapeles

Para vaciar el Portapapeles, simplemente hay que hacer clic sobre el botón **Borrar todo**. También podemos eliminar los elementos incluidos en el Portapapeles de forma individual, haciendo clic sobre la flecha desplegable que aparece al colocar el cursor del ratón sobre ellos, y seleccionando la opción Eliminar.

Pegado especial

1. Copie el rango o elemento que desee pegar.
2. Seguidamente, active la celda donde desea pegar la información copiada.
3. Haga clic en la flecha desplegable del botón **Pegar**, en la Cinta de Opciones, y seleccione la opción Pegado especial. Se abrirá un cuadro de diálogo que proporciona múltiples y variadas opciones de pegado.
4. Seleccione las opciones que mejor le convengan y haga clic sobre **Aceptar**.

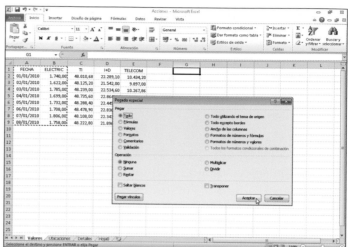

Pegar un rango en otras hojas de cálculo

1. Seleccione y copie el rango que desea copiar a otras hojas de cálculo.
2. Active la hoja de cálculo donde desea pegar el rango copiado, haciendo clic sobre su ficha en la parte inferior de la ventana.
3. Active la celda donde desea pegar el rango y pulse **Control-V**, o haga clic con el botón derecho del ratón y seleccione Pegar.

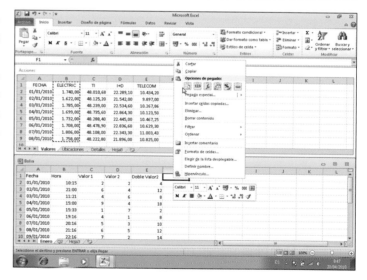

Nota: Para facilitar esta tarea, puede usar las técnicas de visualización de ventanas antes explicadas para mostrar a la vez, en dos ventanas distintas, las dos hojas.

Mover un rango arrastrando y soltando

1. Seleccione el rango que desea mover.

2. Sitúe el cursor del ratón en el borde del rango seleccionado, y cuando en el cursor del ratón aparezca una cuádruple flecha, haga clic y arrastre hasta el lugar donde desea mover el rango seleccionado.

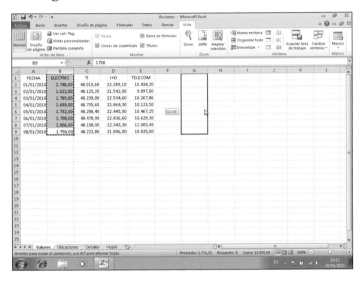

Mover un rango con los comandos Cortar y Pegar

A continuación unos sencillos pasos para lleva a cabo esta acción:

1. Seleccione el rango que desea mover.

2. En la ficha Inicio de la Cinta de Opciones, en el grupo Portapapeles, haga clic sobre el comando Cortar (✂). También puede realizar la acción de cortar pulsando **Contro-X**.

3. Haga clic sobre la celda donde desea pegar el rango de celdas cortado y pulse a continuación la combinación de teclas **Control-V**.

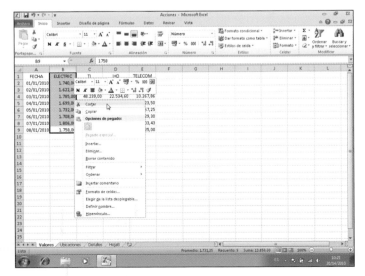

Transponer un rango

Transponer un rango significa que se cambia la orientación del mismo, de forma que las filas pasan a ser columnas y viceversa.

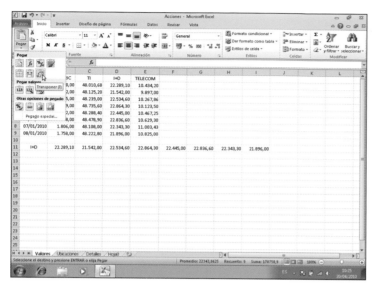

1. Seleccione y copie el rango de celdas que desea transponer.

2. Haga clic sobre la celda donde desea pegar la copia transpuesta del rango.

3. Haga clic sobre la flecha desplegable del botón **Pegar**, existente en la ficha Inicio de la Cinta de Opciones.

4. Seleccione finalmente la opción Transponer.

El cuadro de diálogo Pegado especial también permite transponer un rango copiado. Para abrir este cuadro de diálogo, haga clic sobre la flecha desplegable del botón **Pegar** de la ficha Inicio, y seleccione el comando Pegado especial. A continuación, active la opción Transponer y haga clic sobre **Aceptar**.

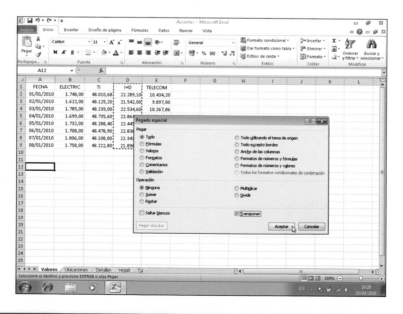

Borrar un rango

Imagine que desea eliminar un rango de celdas porque ya no le hace falta esa información en su hoja de cálculo para su proyecto. Para poder realizar esto tendrá que:

1. Ir a la hoja de cálculo donde se encuentra el rango que contiene la información o los datos que no desea y seleccionarlo. Para ello haga clic con el ratón en la primera celda que ocupa el rango y arrástrela hasta la última a eliminar. Todo el rango quedará resaltado.

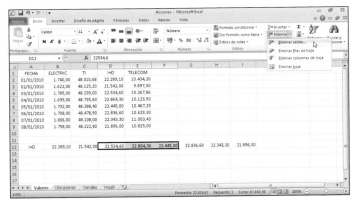

2. Pulse **Supr**. Los datos del rango se borraran de la hoja de cálculo y las celdas que ocupaban esos datos seguirán permaneciendo en su lugar pero vacías.

Si lo que desea es, además de borrar la información del rango, eliminar también las celdas, de forma que su lugar lo ocupen las celdas contiguas:

1. Ejecute el comando Inicio>Celdas>Eliminar>Eliminar celdas.

2. A continuación, seleccione la opción que mejor se ajuste a sus necesidades y haga clic sobre **Aceptar**.

Si lo que quiere eliminar se trata de un rango que además tenga asociado un nombre, podremos hacerlo de la siguiente forma:

1. Haga clic en la flecha desplegable del Cuadro de nombres y seleccione el nombre de la lista o escriba directamente el nombre en dicho cuadro.

2. El rango se marcará en la hoja de cálculo como seleccionado. Pulse la tecla **Supr** para eliminarlo.

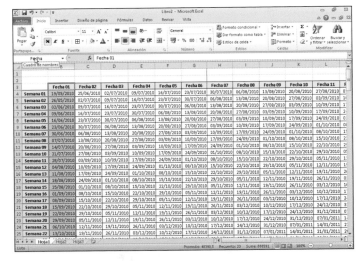

Capítulo 3
Trabajar con datos

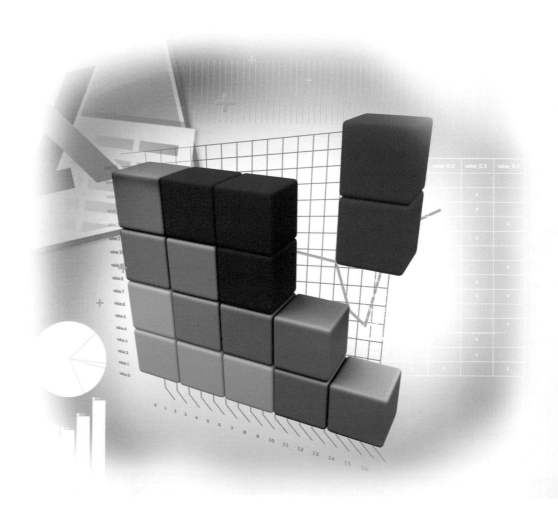

Introducir el mismo dato en varias celdas al mismo tiempo

Si quiere que aparezcan los mismos datos en varias celdas a al vez, siga los pasos que se enumeran a continuación:

1. Seleccione las celdas donde quiere introducir el mismo dato.

2. Escriba la información que quiere introducir.

3. Pulse **Control-Intro**.

También puede copiar el dato, a continuación seleccionar el rango de celdas y, finalmente, pegar el dato. La información se pegará en todas las celdas seleccionadas.

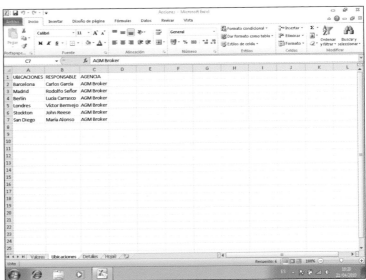

Completar el dato de forma automática al escribir

Si estamos introduciendo texto en una hoja de cálculo, y el dato que estamos escribiendo ya existe en una celda de la misma columna, al escribir los primeros caracteres del dato, Excel nos muestra el texto completo del dato. Si el dato que Excel propone es el que quiere introducir, simplemente pulse **Intro**. Si desea introducir un dato distinto que comienza por los mismos caracteres que el propuesto por Excel, continúe escribiendo.

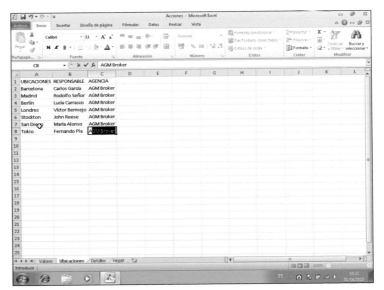

Duplicar una celda en celdas adyacentes

Para duplicar el valor de una celda en las celdas siguientes de la misma columna, los pasos a seguir son:

1. Seleccione la celda que contiene el valor que quiere copiar en las celdas sucesivas de la misma columna.

2. Coloque el cursor del ratón sobre el controlador de relleno ⬚⬛. El controlador de relleno es un pequeño cuadrado negro situado en la esquina inferior derecha del marco de selección, que aparece en la celda al activarla. Al colocar el cursor del ratón sobre el controlador de relleno, el cursor se transforma en una cruz negra.

3. Haga clic y arrastre el cursor hacia abajo, hasta la última celda en la quiere introducir el valor de la celda seleccionada.

El procedimiento para copiar el valor de una celda en las celdas sucesivas de la misma fila es el mismo, pero arrastrando hacia la derecha o hacia la izquierda, según sea el caso.

Nota: En algunos casos, como por ejemplo si el valor que se desea duplicar es una fecha o un número, en lugar de copiar el mismo valor, lo que se crea es una serie secuencial de datos, incrementados en una unidad en cada celda. Para que esto no ocurra y se copie el mismo dato, haga clic sobre la etiqueta inteligente Opciones de autorrelleno y seleccione la opción Copiar celdas.

Duplicar una columna en columnas adyacentes

Para duplicar una columna entera en otras columnas contiguas, siga estos pasos:

1. Seleccione la columna o el rango de datos de la columna que desea duplicar.

2. Coloque el cursor del ratón sobre el controlador de relleno del rango seleccionado y, cuando se haya transformado en una cruz negra, haga clic y arrastre a continuación hacia el lado en el que quiere duplicar la selección.

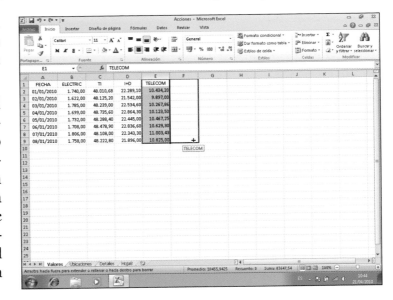

Duplicar una fila en la filas adyacentes

Si lo que necesita es duplicar una fila en filas colindantes:

1. Seleccione la fila o el rango de datos de la fila que desea duplicar.

2. Coloque el cursor del ratón sobre el controlador de relleno del rango seleccionado y, cuando se haya transformado en una cruz negra, haga clic y arrastre hacia abajo o hacia arriba (según le interese) para duplicar la selección a las filas adyacentes. Tenga en cuenta que los campos con flechas, números o cálculos se rellenarán siguiendo la serie.

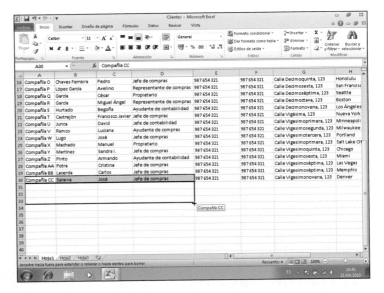

Introducir una serie de fechas con el controlador de relleno

1. Escriba en la primera celda el valor de la primera fecha de la serie.

2. Active la celda de la fecha que acaba de introducir.

3. Coloque el cursor del ratón sobre el controlador de relleno y, cuando se transforme en una cruz negra, haga clic y arrastre hacia el lado en el que desea crear la serie; por ejemplo, hacia abajo. Aparece un pequeño cuadro de información indicando la fecha que se introducirá en la última celda seleccionada.

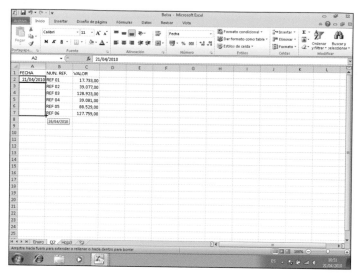

4. Suelte el botón del ratón cuando llegue a la última celda en la que quiere introducir una fecha.

Introducir una serie de números con el controlador de relleno

1. En la primera de las celdas de la serie que desea crear, escriba el primer número de la serie.

2. Active la celda del número que acaba de escribir.

3. Coloque el cursor del ratón sobre el controlador de relleno de la celda activa y, cuando se transforme en una cruz negra, haga clic y arrastre hasta la última celda de la serie.

4. Haga clic sobre la etiqueta inteligente Opciones de autorrelleno y seleccione la opción Serie de relleno.

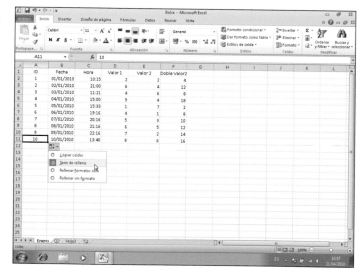

Introducir una serie de texto con el controlador de relleno

Excel es capaz de realizar una secuencia con determinados elementos de texto. Por ejemplo, con los nombres de los meses del año (enero, febrero, etc.), o los días de la semana (lunes, martes, etc.), o bien con textos del tipo **Elemento 1**.

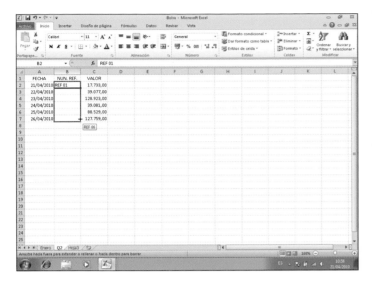

1. Escriba el primer elemento de la serie en la primera celda en la que quiere incluir la secuencia de texto.

2. Active la celda en la que acaba de escribir.

3. Coloque el cursor del ratón sobre el controlador de relleno de la celda activa y, cuando se transforme en una cruz negra, haga clic y arrastre hasta llegar a la última celda de la serie que desea crear.

Introducir una serie con el comando Series

1. Seleccione un rango de celdas en el que la primera celda del rango seleccionado sea la que contiene el valor inicial de la serie, y el resto las celdas vacías que se rellenarán con los datos de la serie.

2. En la ficha Inicio de la Cinta de Opciones, en el grupo Modificar, haga clic sobre la flecha desplegable del botón **Rellenar**, y seleccione la opción Series.

3. En el cuadro de diálogo Series, seleccione las opciones que mejor le convengan y, finalmente, haga clic sobre **Aceptar**.

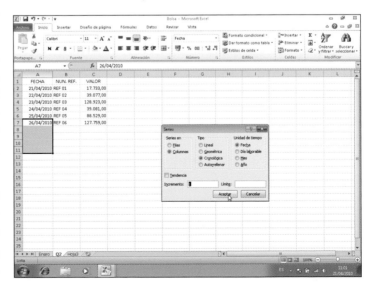

Duplicar fórmulas en varias celdas adyacentes

1. Escriba la fórmula oportuna en una celda y, a continuación, pulse **Intro**.

2. Active la celda que contiene la fórmula que acaba de crear.

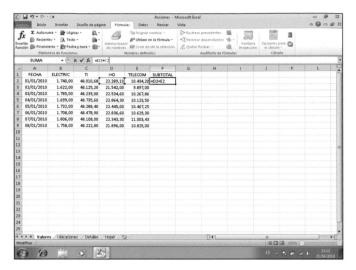

3. Sitúe el cursor del ratón sobre el controlador de relleno de la celda activa y, cuando se transforme en una cruz negra, haga clic y arrastre hasta llegar a la última celda en la que quiere duplicar la fórmula.

4. Suelte el botón del ratón. Las celdas seleccionadas se rellenarán con la misma fórmula creada inicialmente, pero relativa a los datos de su fila o columna. Es decir, por ejemplo, si en la fórmula inicial, introducida en la celda **F2**, se realizaba la suma del rango **D2** y **E2**, es decir las dos celdas inmediatas de su izquierda, en la celda **F3** se mostrará el resultado de sumar **D3** y **E3**, en la celda **F4** el resultado de sumar **D4** y **E4** y, así,

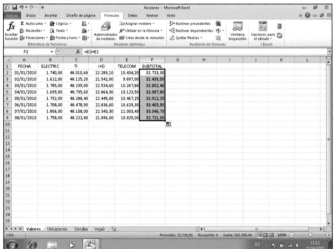

sucesivamente con el resto de celdas de la columna **F**.

También puede introducir la fórmula inicial, copiar la celda de esta fórmula inicial, seguidamente, seleccionar el rango de celdas adyacentes donde quiere incluir el duplicado de la fórmula, y pulsar **Control-V** para pegar la fórmula en las celdas seleccionadas.

Nota: En este caso, las referencias a las celdas utilizadas en las fórmulas son referencias relativas. También existen, como veremos a continuación, referencias absolutas o mixtas.

Utilizar referencias absolutas o mixtas para duplicar fórmulas

Una referencia absoluta se rige según la siguiente sintaxis: **$columna$fila**. Por ejemplo, **"$A$1"** hace referencia de forma absoluta a la celda **A1**. Cuando se utiliza una referencia absoluta en una fórmula y luego se duplica dicha fórmula en un rango de celdas, en las nuevas fórmulas creadas se mantiene el valor de la celda con referencia absoluta. Por ejemplo, si en la celda **F2** introducimos la fórmula **"=$D$2+E2"**, y luego copiamos esta fórmula a

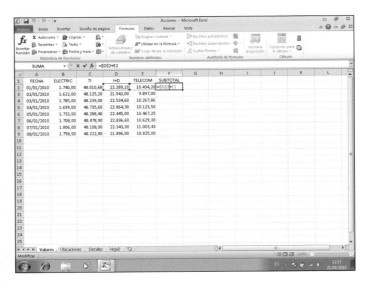

las siguientes celdas de la columna **F**, en la celda **F3** se mostrará el resultado de sumar **"=$D$2+E3"**, en la celda **F4** el resultado de **"=$D$2+E4"**, y así sucesivamente. Una referencia mixta tiene la siguiente sintaxis:

- **$columnafila:** La columna se mantiene fija. Por ejemplo: **"$A1"**.

- **columna$fila:** La fila se mantiene fija. Por ejemplo: **"A$1"**.

En estos casos, únicamente la fila o la columna permanecen fijas cuando copiamos la fórmula a un rango de celdas adyacentes.

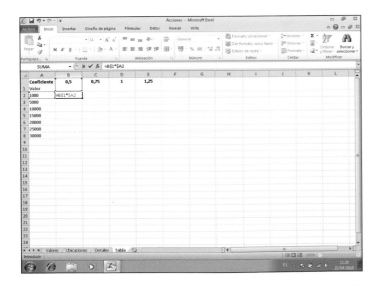

Introducir datos con el comando Rellenar

El comando Rellenar permite introducir en una celda o en un rango los datos existentes en las celdas adyacentes. Como ejemplo, vamos a duplicar la última columna de una hoja.

1. Seleccione las celdas vacías que estén situadas a la derecha de la última columna de su hoja de cálculo.

2. En la ficha Inicio de la Cinta de Opciones, en el grupo Modificar, haga clic sobre la flecha desplegable del botón **Rellenar,** y seleccione a continuación la opción Hacia la derecha.

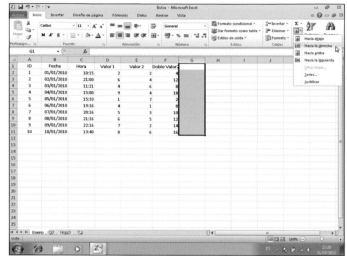

Introducir datos en varias hojas al mismo tiempo

1. Seleccione las hojas en las que desea introducir la misma información.

2. En una de las hojas que se encuentren seleccionadas, active la celda o el rago de celdas en las que va a introducir la nueva información. Tenga en cuenta que la información se introducirá en las mismas celdas de todas las páginas seleccionadas, por lo que es conveniente que antes compruebe que no borrará información necesaria ya existente en hojas seleccionadas.

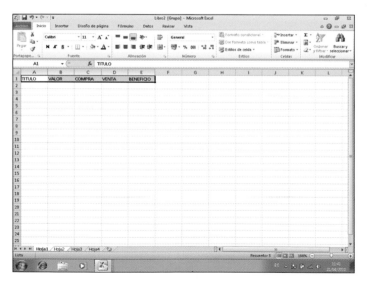

3. Introduzca la información y pulse **Intro**.

Añadir comentarios

Es posible añadir notas a una celda que nos sirvan como aclaración o documentación adicional. Para añadir un comentario, siga los pasos siguientes:

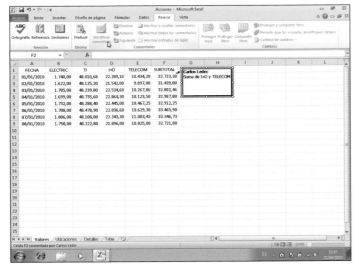

1. Seleccione la celda a la que desea añadir el nuevo comentario.

2. En el grupo Comentarios, de la ficha Revisar de la Cinta de Opciones, haga clic sobre el botón **Nuevo comentario**. Aparecerá en pantalla un cuadro de texto con el nombre del usuario existente en las Opciones de Excel.

3. Escriba el comentario que desea incluir. Una vez haya terminado, haga clic fuera del cuadro de texto del comentario.

Ver comentarios añadidos

Las celdas que incluyen un comentario presentan un pequeño triángulo de color en su esquina superior derecha. Para ver el comentario añadido en una celda simplemente tiene que colocar el cursor del ratón sobre la celda.

Para ver todos los comentarios añadidos a la hoja, ejecute el comando Mostrar todos los comentarios, existente en la ficha Revisar, grupo Comentarios, de la Cinta de Opciones. También puede utilizar los botones **Siguiente** y **Anterior** para pasar de un comentario a otro.

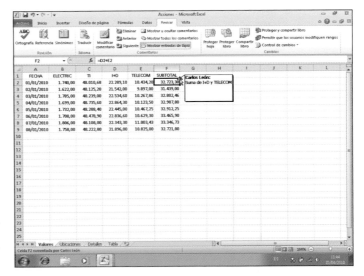

Modificar un comentario existente

Para editar un comentario, siga estos pasos:

1. Active la celda cuyo comentario desea modificar.

2. Haga clic con el botón derecho del ratón sobre la celda activa y seleccione la opción Modificar comentario. También puede utilizar el comando Modificar comentario existente en la ficha Revisar, grupo Comentarios, de la Cinta de Opciones.

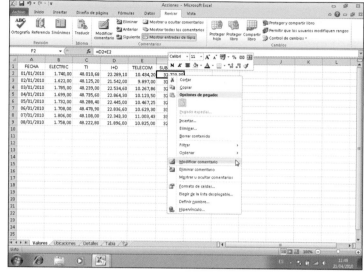

3. Modifique el comentario, y una vez haya terminado, haga clic en cualquier parte fuera del comentario.

Eliminar un comentario

Si lo que desea es suprimir un comentario:

1. Active la celda cuyo comentario desea eliminar.

2. Haga clic con el botón derecho del ratón sobre la celda activa y seleccione la opción Eliminar comentario. También puede utilizar el comando Eliminar existente en la ficha Revisar que encontrará en el grupo Comentarios, de la Cinta de Opciones.

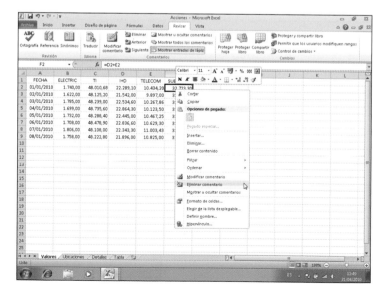

Aplicar estilos al texto de un comentario

1. Seleccione la celda cuyo comentario desea editar.

2. Ejecute el comando Modificar comentario existente en la ficha Revisar, grupo Comentarios, de la Cinta de Opciones.

3. Seleccione el texto que desea modificar y aplíquele el formato deseado utilizando las distintas opciones disponibles en los grupos Fuente y Alineación, de la ficha Inicio de la Cinta de Opciones.

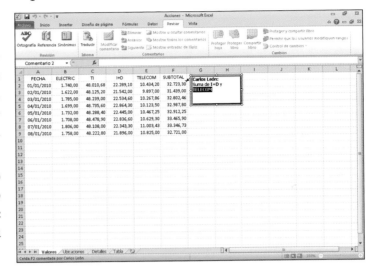

4. Una vez haya terminado de aplicar formato al texto del comentario, haga clic en cualquier lugar fuera del comentario.

Cambiar el tamaño de un comentario

Para cambiar el tamaño de un comentario:

1. Haga clic con el botón derecho del ratón sobre la celda cuyo comentario desea modificar, y seleccione Modificar comentario.

2. Coloque el cursor del ratón sobre uno de los controladores de tamaño del cuadro de texto.

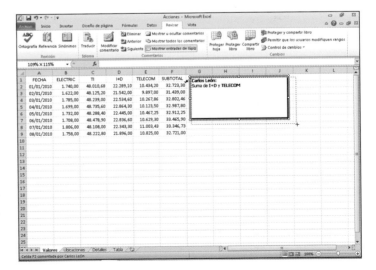

3. Haga clic sobre el controlador de tamaño y arrastre hasta conseguir el tamaño deseado.

4. Suelte el botón del ratón y luego haga clic fuera del comentario.

Formatos numéricos disponibles

Aplicar un formato a un número puede ayudar mucho a su compresión. No es lo mismo ver **"120541"** que **"120.541 €"**. Cuando se aplica un formato a un número, el valor almacenado en la celda no varía, aunque sí lo haga la forma de aparecer en pantalla. Los formatos disponibles son:

- **General:** No se aplica ningún formato específico de número.

- **Número:** Formato estándar para números. Permite especificar el número de decimales, la apariencia de los números negativos y si se utiliza un separador de miles.

- **Moneda:** Formato que se utiliza para presentar valores monetarios. Permite elegir el símbolo de la moneda, el número de decimales y el formato de los números negativos.

- **Contabilidad:** Utilizados para formatos monetarios, si bien por defecto se alinean los símbolos de moneda y las comas decimales.

- **Fecha:** Muestra fechas y horas en distintos formatos, presentando distintas y múltiples opciones. También permite cambiar la configuración en función de las costumbres de cada país.

- **Hora:** Utilizado para mostrar fechas y horas, permite elegir entre múltiples formatos distintos para las horas, y tiene en cuenta las configuraciones habituales de cada país.

- **Porcentaje:** Muestra los números en forma porcentual.

- **Fracción:** Muestra los valores como fracciones.

- **Científica:** Muestra los números de forma exponencial, es decir, de la forma **"E+x"**: significa 10 elevado a x. Por ejemplo: **"2,00E+02"** es 200.

- **Texto:** Muestra los datos como si fueran texto, independientemente si son números o no. De esta forma, el dato se muestra tal y como fue incluido en la celda.

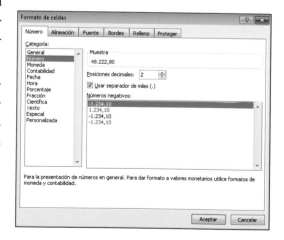

- **Especial:** Permite aplicar formatos numéricos especiales, como formatos de código postal, de número de teléfono o de la Seguridad Social. Permite tener en cuenta los formatos utilizados en cada país.

- **Personalizada:** Permite definir un formato de número personalizado basado en uno de los formatos existentes.

Aplicar un formato de número desde la Cinta de Opciones

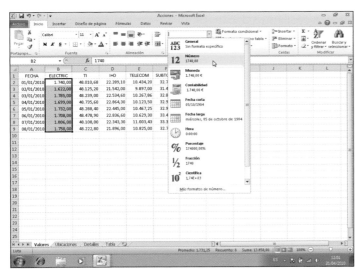

1. Seleccione la celda o rango de celdas que contienen los números a los que desea aplicar un formato o a los que desea cambiar su formato actual.

2. En la ficha Inicio de la Cinta de Opciones, en el grupo Número, haga clic sobre la flecha desplegable del control Formato de número.

3. Seleccione finalmente el formato deseado.

 Nota: Si al cambiar el formato del número, en la celda aparece "▨▨▨▨▨▨▨▨" significa que el ancho de la columna se ha quedado demasiado estrecho para mostrar el dato correctamente. Aumente el ancho de la columna para ver claramente el dato.

Aplicar formato utilizando el cuadro de diálogo Formato de celdas

1. En la ficha Inicio, en el grupo Número, haga clic en el indicador de cuadro de diálogo (⬜), junto al nombre del grupo Número.

2. En la ficha Número del cuadro Formato de celdas, seleccione la categoría que desee. En función de la categoría elegida, podrá elegir distintas opciones de formato adicionales.

3. Una vez haya seleccionado el formato deseado, haga clic sobre **Aceptar**.

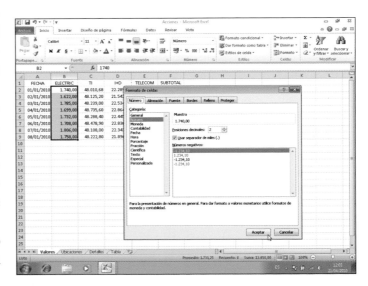

Cambiar el número de decimales de forma rápida

Es posible modificar de rápidamente la cantidad de decimales mostrados en un número desde la Cinta de Opciones.

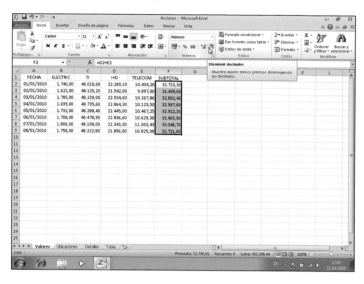

1. Seleccione la celda o celdas que contienen los números que desea modificar.

2. En la ficha Inicio de la Cinta de Opciones, en el grupo Número, haga clic sobre el botón **Aumentar decimales** (🔢) o **Disminuir decimales** (🔢). Cada vez que haga clic en los respectivos botones, aumentará o disminuirá un decimal.

Aplicar de forma rápida el formato porcentual

1. Seleccione la celda o celdas que contienen los números que desea modificar.

2. En la ficha Inicio de la Cinta de Opciones, en el grupo Número, haga clic sobre el botón **Estilo porcentual** (%).

Otra forma de hacerlo es seleccionar la celda o celdas a las que desea aplicar el formato porcentual y pulsar **Control-Mayús-%**.

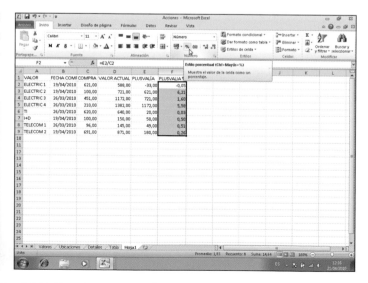

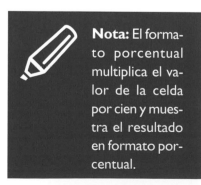

Nota: El formato porcentual multiplica el valor de la celda por cien y muestra el resultado en formato porcentual.

Aplicar el estilo millares

Si el estilo que quiere para sus datos es el de millares, siga estos pasos:

1. Seleccione la celda o celdas que contienen los números que desea modificar para aplicarles el estilo millares.

2. En la ficha Inicio de la Cinta de Opciones, en el grupo Número, haga clic sobre el botón **Estilo millares** (000). Los números mostrarán automáticamente separadores de millares y dos dígitos decimales.

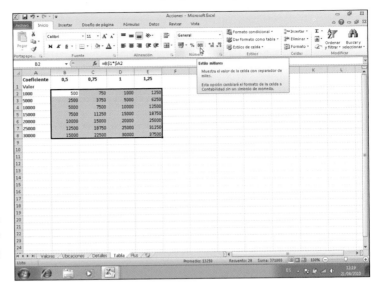

Aplicar el formato euro

Si el estilo que le interesa es el formato euro:

1. Seleccione la celda o rango de celdas de la hoja de cálculo que contienen los números que desea modificar.

2. En la ficha Inicio de la Cinta de Opciones, en el grupo Números, haga clic sobre la flecha desplegable del botón Formato de número de contabilidad ( ), y seleccione € Español (alfab. Internacional). Los datos adquirirán el formato Contabilidad, mostrarán el símbolo del euro a la derecha y dos dígitos decimales.

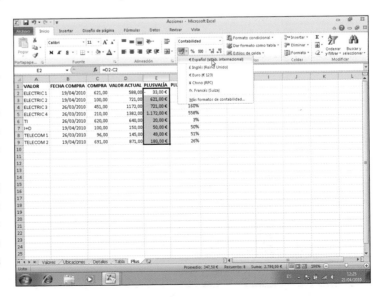

Crear un formato personalizado

Como ejemplo, vamos a crear un formato personalizado para introducir números de teléfono, que separará el número en grupos de tres dígitos (978 555 555).

1. Seleccione la celda o celdas que contienen los números a los que desea aplicar el nuevo formato. Al ser números de teléfono, deberían tener nueve dígitos.

2. En la ficha Inicio de la Cinta de Opciones, en el grupo Número, haga clic sobre el indicador de cuadro de diálogo ( ), situado junto al nombre del grupo Número.

3. En la ficha Número del cuadro de diálogo Formato de celdas, seleccione la categoría Personalizada.

4. En el cuadro de texto Tipo, escriba: **"000 000 000"**.

5. Haga clic sobre **Aceptar**.

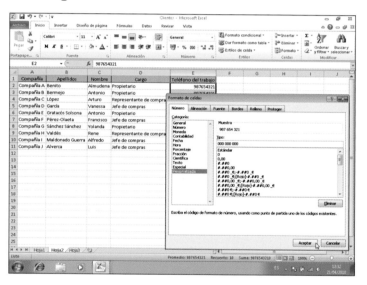

Asignar formato de forma automática al introducir datos

Excel identifica de forma automática algunos formatos en función de la información introducida. Por ejemplo, si se introduce un número con el signo del euro, por ejemplo "10 €", Excel le asignará de manera automática el formato Moneda, por lo que el dato que almacenará en la celda será únicamente "10", aunque muestre "10 €". Lo mismo ocurre si se introduce un número con el signo de porcentaje, por ejemplo "10%", al que se le asignará el formato Porcentual. O si introducimos el número escribiéndolo con separadores de millares y decimales, asignándoles a estos últimos el formato Número.

Filtrar por los valores de una columna

Excel nos permite aplicar filtros, de forma que sólo se muestren los datos con los queremos trabajar. Es especialmente útil si tenemos que trabajar con grandes cantidades de datos. La forma de aplicar un filtro en una columna es la siguiente:

1. Seleccione la columna que contiene los datos que quiere utilizar como criterio del filtro.

2. En la ficha Datos de la Cinta de Opciones, en el grupo Ordenar y filtrar, haga clic sobre el botón **Filtro**. Aparecerá una flecha (▼) en el encabezado de la columna.

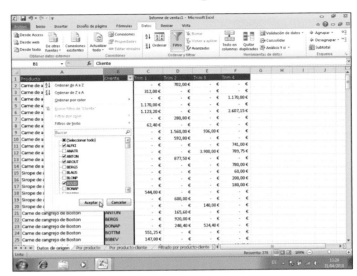

3. Haga clic sobre la flecha desplegable del encabezado de columna.

4. En la lista donde aparecen seleccionados todos los valores posibles de la columna, además de las opciones (Seleccionar todo) y (Vacías), deje activados únicamente los valores cuyos datos desea ver.

5. Haga clic sobre **Aceptar**.

Sólamente se mostrarán las filas de datos correspondientes a los valores seleccionados en el filtro. Los datos que no aparecen en la hoja de datos no se han eliminado, siguen existiendo; simplemente, no se muestran.

Ver toda la información de nuevo

Para volver a ver toda la información que se ha ocultado al aplicar el filtro, aunque sin eliminar el filtro, siga estos pasos:

1. Haga clic sobre la flecha desplegable del encabezado de columna que incluye el filtro. El botón ahora presenta el icono de un embudo que indica que ha aplicado un filtro (🔽).

2. En la lista donde aparecen los valores de la columna, active la opción (Seleccionar todo) y haga clic sobre **Aceptar**.

Modificar un filtro por valores

Si necesita modificar un filtro por valores:

1. Haga clic en el botón de la flecha desplegable del encabezado de columna cuyo filtro desea modificar.

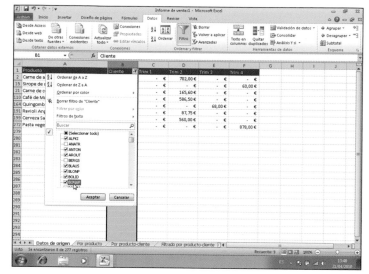

2. En la lista desplegable donde aparecen seleccionados todos los valores posibles de la columna, además de las opciones (Seleccionar todo) y (Vacías), deje activados únicamente los valores cuyos datos desea ver.

3. Haga clic sobre el botón **Aceptar**.

Quitar un filtro

Si lo que necesita es eliminar un filtro, vaya a la ficha Datos de la Cinta de Opciones y, en el grupo Ordenar y filtrar, haga clic sobre el botón **Filtro** para desactivarlo.

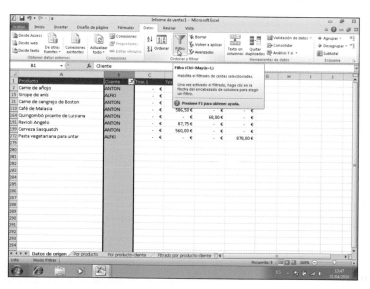

Filtrar por valores de más de una columna

1. Seleccione las columnas en las que desea crear un filtro.

2. En la ficha Datos de la Cinta de Opciones, en el grupo Ordenar y filtrar, haga clic sobre el botón **Filtro**. Aparecerá una flecha desplegable en el encabezado de las columnas que haya seleccionado.

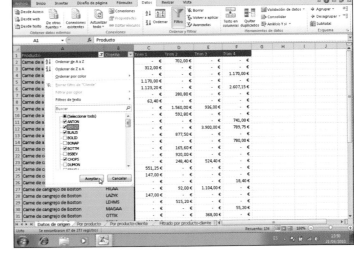

3. Haga clic sobre la flecha desplegable de una columna, y elija los valores que quiere mostrar.

4. Haga clic sobre la flecha desplegable de otra de las columnas, y elija los valores que desea ver. Repita este paso para las columnas en las que ha activado un filtro.

Mostrar filas sin valores en una columna

Para mostrar las filas de datos que no tienen asignado ningún valor en una determinada columna, por ejemplo, para ver todos los proveedores de los que no se tiene un teléfono de contacto, los pasos son:

1. Seleccione la columna que incluye celdas vacías que queremos encontrar.

2. Haga clic sobre el botón **Filtro**, de la ficha Datos de la Cinta de Opciones.

3. Haga clic sobre la flecha desplegable del encabezado de la columna con el filtro, active únicamente la opción (Vacías) y haga clic sobre **Aceptar**.

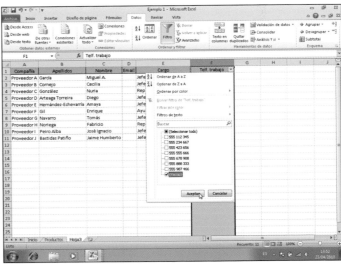

Filtrar por criterios de texto

1. Seleccione la columna que contiene los datos no numéricos que quiere utilizar para filtrar la información de la hoja de cálculo.

2. En la ficha Datos de la Cinta de Opciones, en el grupo Ordenar y filtrar, haga clic sobre el botón **Filtro**.

3. Haga clic sobre la flecha que aparece en el encabezado de la columna, donde ha habilitado el filtro.

4. En el submenú Filtros de texto, seleccione la opción de filtro de texto que mejor se ajuste a sus necesidades. Por ejemplo, vamos a mostrar todos los elementos que comiencen por las letras C o F. Elija, por lo tanto, la opción Comienza por.

5. En el cuadro de diálogo Autofiltro personalizado, ya aparece seleccionada la opción Comienza por en el primer cuadro de filtros. Escriba la letra "**C**" en el cuadro combinado situado a su derecha.

6. Haga clic sobre el botón de opción O, situado en la parte central de este cuadro de diálogo.

7. En el segundo cuadro de filtros, situado bajo el anterior, seleccione también la opción comienza por.

8. En el cuadro combinado situado a su derecha escriba la letra "**F**".

9. Haga clic sobre **Aceptar**.

El resultado serán todas las filas que, en la columna seleccionada para el filtro, tengan elementos que empiecen por las letras C o F.

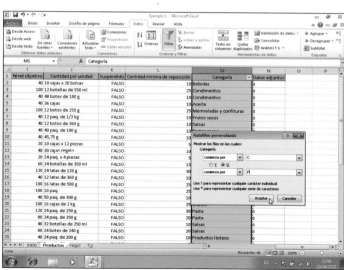

Filtrar por criterios de número

Para filtrar sus datos conforma a criterios de número:

1. Seleccione la columna que contiene los datos numéricos que quiere utilizar para filtrar la información de la hoja de cálculo.

2. En la ficha Datos de la Cinta de Opciones, en el grupo Ordenar y filtrar, haga clic sobre el botón **Filtro**.

3. Haga clic sobre la flecha que aparece en el encabezado de la columna donde ha habilitado el filtro.

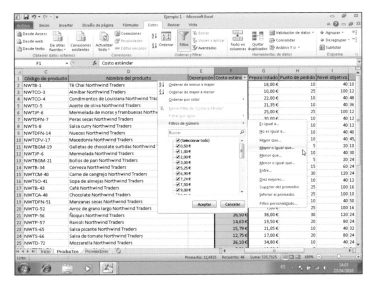

4. En el submenú Filtros de número, seleccione la opción de filtro de número que mejor se ajuste a sus necesidades. Por ejemplo, vamos a seleccionar únicamente los elementos cuyo valor sea igual o superior a **30**. Por lo tanto, seleccione la opción Mayor o igual que.

5. En el cuadro de diálogo Autofiltro personalizado, el primer cuadro de filtros ya muestra la opción es mayor o igual que. Escriba "**30**" en el cuadro combinado que tiene a su derecha. También puede hacer clic sobre la flecha desplegable del cuadro combinado y seleccionar uno de los valores incluidos en la lista.

6. Haga clic sobre el botón **Aceptar**.

El resultado mostrará todas las filas que tengan en la columna utilizada para el filtro un valor mayor o igual a 30, que es el valor indicado como criterio del filtro.

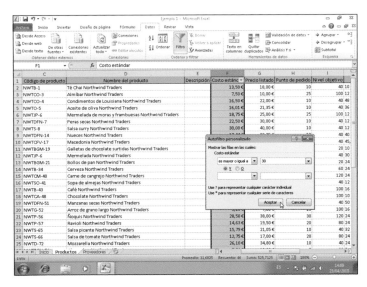

Filtrar por criterios de fecha

Si lo que le interesa es filtrar por criterios de fecha:

1. Seleccione la columna que contiene los datos de fechas que quiere utilizar para filtrar la información de la hoja de cálculo.

2. En la ficha Datos de la Cinta de Opciones, en el grupo Ordenar y filtrar, haga clic sobre el botón **Filtro**.

3. Haga clic sobre la flecha que aparece en el encabezado de la columna donde ha habilitado el filtro.

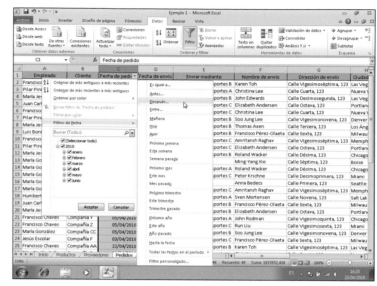

4. En el submenú Filtros de fecha, seleccione la opción de filtro de número que mejor se ajuste a sus necesidades. Por ejemplo, vamos a seleccionar los datos cuya fecha es posterior al 15 de febrero de 2010. Por lo tanto, seleccione la opción Después.

5. En el cuadro de diálogo Autofiltro personalizado escriba la fecha "**15/02/2010**", o utilice el **Selector de fecha** (▦) para seleccionar la fecha que le interese.

6. Haga clic sobre el botón **Aceptar**.

Los resultados mostrarán todas las filas que tengan una fecha que sea posterior a la indicada como criterio del filtro. El resto de datos no se han eliminado, simplemente permanecen ocultos.

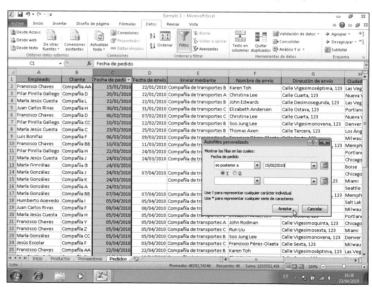

Filtrar por color

Vamos a filtrar por el color de fondo de la celda, ya que muchas hojas de cálculo presentan un color distinto para las filas pares y las impares, para facilitar así la lectura de los datos. También puede ser útil si determinada información se resalta con un color de fondo de celda específico.

1. Seleccione la columna que contiene las celdas del color de fondo que se pretende utilizar para el filtro.

2. En la ficha Datos de la Cinta de Opciones, en el grupo Ordenar y filtrar, haga clic sobre el botón **Filtro**.

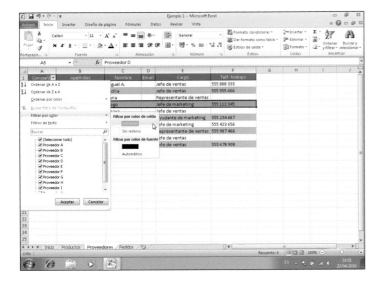

3. Haga clic sobre la flecha situada en el encabezado de la columna donde se ha habilitado el filtro.

4. Coloque el cursor en la opción Filtrar por color. Aparecerá un submenú con opciones de color de celda y fuente. Estas opciones dependerán de los colores usados en cada caso, tanto para las celdas como para el texto. La opción Sin relleno es para todas las celdas sin ningún color de fondo, y la opción Automático para todo el texto que tiene el color asignado por defecto por la aplicación, que normalmente es negro.

5. Seleccione el color de fondo de las celdas que desea mostrar.

El resultado del filtro muestra únicamente las filas que tienen el color seleccionado en las celdas de la columna del filtro.

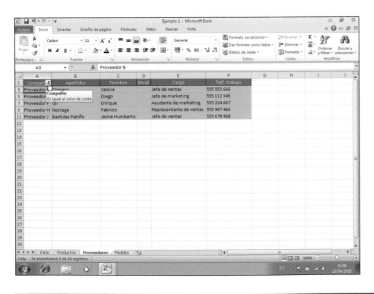

Ordenar por una columna

Vamos a ver cómo ordenar por datos de una columna:

1. Active alguna celda de la columna por la que desea ordenar la información.

2. Haga clic sobre ($\frac{A}{Z}\downarrow$) o su inverso para ordenar el contenido a su gusto, ya sea texto, números o fechas.

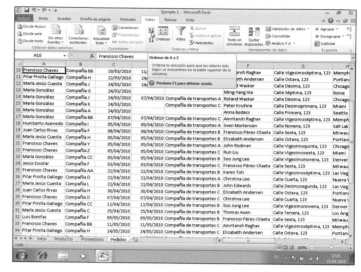

Ordenar por más de una columna

1. Haga clic sobre el botón **Ordenar**, existente en el grupo Ordenar y filtrar de la ficha Datos de la Cinta de Opciones. Se abrirá el cuadro de diálogo Ordenar.

2. En el cuadro de lista Ordenar por, seleccione la primera columna por la que desea ordenar los datos.

3. En el cuadro de lista Ordenar según, seleccione la opción pertinente. Seleccione Valores para ordenar por los valores de la columna, no por una opción de formato.

4. En Criterio de ordenación, seleccione si la ordenación será creciente o decreciente.

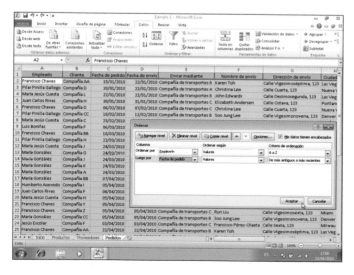

5. A continuación, haga clic sobre el botón **Agregar nivel**. Verá cómo se añade una nueva línea.

6. En Luego por, seleccione la segunda columna por la que quiere ordenar los datos. Seleccione también las opciones que prefiera en los cuadros de lista Ordenar según y Criterio de ordenación de este segundo nivel.

7. Finalmente, haga clic sobre **Aceptar**.

Ordenar utilizando Filtro

Para ordenar utilizando un filtro:

1. Seleccione la columna que contiene los datos que quiere utilizar para ordenar la información de la hoja de cálculo.

2. En la ficha Datos de la Cinta de Opciones, en el grupo Ordenar y filtrar, haga clic sobre el botón **Filtro**.

3. Haga clic sobre la flecha que aparece en el encabezado de la columna donde ha habilitado el filtro, y

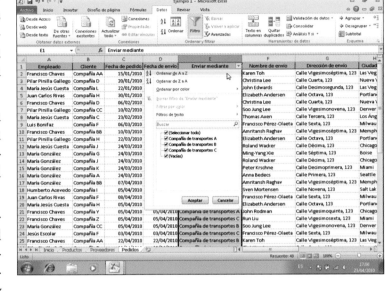

seleccione una de las tres opciones de ordenación existentes: Ordenar de A a Z, Ordenar de Z a A y Ordenar por color.

4. En el cuadro de diálogo Advertencia antes de ordenar, seleccione la opción Ampliar información para que el orden se aplique a todas las columnas de la hoja de datos. De lo contrario, el orden únicamente se aplicará a la columna actual. Haga clic sobre **Ordenar**.

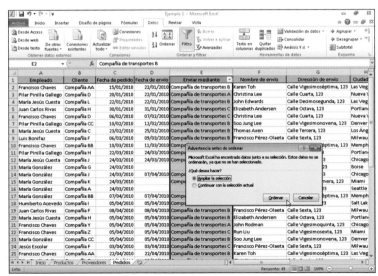

Ordenar un rango

Para ordenar un rango:

1. Seleccione el rango de celdas que desea ordenar.

2. En el grupo Ordenar y filtrar de la ficha Datos, en la Cinta de Opciones, haga clic sobre el botón **Ordenar de A a Z** (![AZ]) o sobre el botón **Ordenar de Z a A** (![ZA]), según el criterio de ordenación que prefiera utilizar.

3. Si aparece el cuadro de diálogo Advertencia antes de ordenar, seleccione la opción Continuar con la selección actual, y haga clic sobre **Ordenar**.

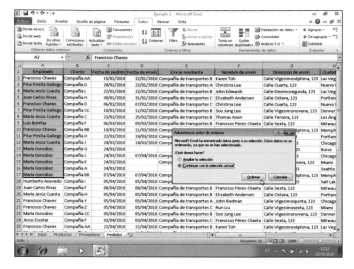

Deshacer un orden

No es posible quitar una ordenación igual que quitamos un filtro, por lo que es necesario estar seguros antes de aplicar un orden, sobre todo si el orden únicamente afecta a un rango. Sí es posible deshacer el orden utilizando la herramienta Deshacer de la Barra de herramientas de acceso rápido, o pulsando **Control-Z**, pero esta opción únicamente es válida cuando acabamos de aplicar el orden.

Una buena solución es contar en la hoja de cálculo con una columna que contenga una secuencia de números que refleje el orden inicial, de forma que siempre podamos ordenar por esa columna para recuperar el orden original.

El orden únicamente afectará al rango, no al resto de celdas, por lo que no se mantendrá la relación inicial entre los datos de las filas asociadas con el rango.

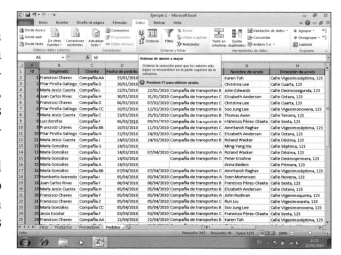

Buscar datos

Siga el siguiente proceso cada vez que necesite buscar datos:

1. Abra el libro que contiene la información que está buscando.

2. En la ficha Inicio de la Cinta de Opciones, en el grupo Modificar, haga clic en **Buscar y seleccionar**.

3. Seleccione la opción Buscar.

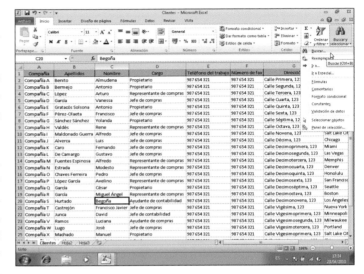

4. En el cuadro combinado Buscar, de la ficha homónima, escriba el dato que desea buscar.

5. Haga clic sobre el botón **Opciones** para desplegar opciones de búsqueda adicionales y, en la opción Dentro de, seleccione Hoja si quiere limitar la búsqueda a la hoja abierta en ese momento, o seleccione Libro si quiere buscar en todas las hojas del libro.

6. Haga clic sobre **Buscar todos**. En la parte inferior el cuadro de diálogo Buscar y reemplazar aparecerán todas las veces que se ha encontrado el dato buscado. Haga clic sobre uno de los resultados para que se active la celda correspondiente de la hoja de cálculo.

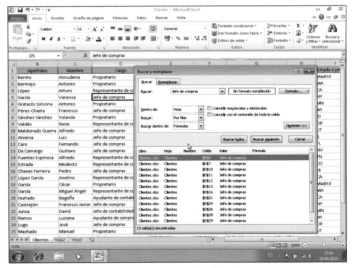

Nota: También puede acceder a la ficha Buscar del cuadro de diálogo Buscar y reemplazar pulsando la combinación de teclas **Control-B**.

Buscar datos con formato

Si necesita afinar su búsqueda y buscar conforme a un formato determinado, siga estos pasos:

1. Abra el libro que contiene la información que está buscando.

2. En la ficha Inicio de la Cinta de Opciones, en el grupo Modificar, haga clic sobre el botón **Buscar y seleccionar**.

3. Seleccione la opción Buscar.

4. Escriba el texto que desea localizar en el cuadro combinado Buscar. Si lo que quiere es encontrar cualquier texto que tenga un determinado formato, deje en blanco el cuadro Buscar.

5. Haga clic sobre la flecha desplegable del botón **Formato** y seleccione la opción Formato.

6. En el cuadro de diálogo Buscar formato, seleccione las características del formato que está buscando. Una vez que haya terminado, haga clic sobre **Aceptar**.

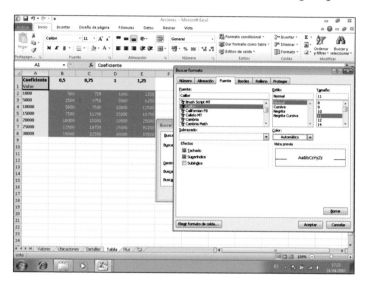

7. En el cuadro de diálogo Buscar y reemplazar, junto al botón **Formato**, aparecerá una vista previa del formato que está buscando. Haga clic sobre Buscar todos. En la parte inferior del cuadro de diálogo aparecerán los resultados. Haga clic sobre un resultado para activar la celda correspondiente en la hoja de cálculo.

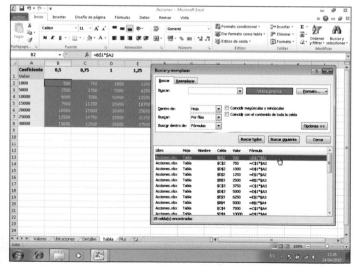

Reemplazar datos

1. Abra el libro que contiene la información que busca.

2. En la ficha Inicio, en el grupo Modificar, haga clic sobre **Buscar y seleccionar**.

3. Seleccione luego la opción Reemplazar.

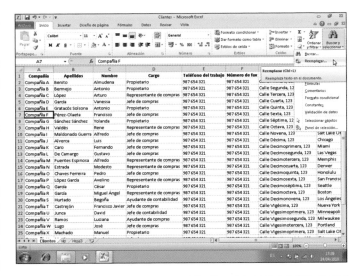

4. En el cuadro combinado Buscar, escriba el dato que quiere reemplazar por otro. Utilice las opciones del botón **Formato** si desea limitar los resultados a los datos que, además, tengan un formato determinado.

5. En el cuadro combinado Reemplazar por escriba el dato que utilizará para reemplazar el dato anterior. Si quiere que el dato que va a introducir tenga cierto formato, utilice las opciones del botón **Formato**.

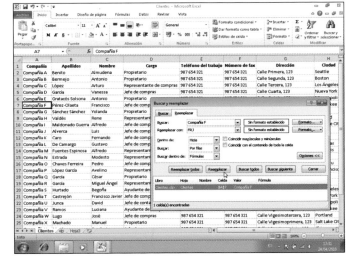

6. Haga clic sobre el botón **Reemplazar todos** para que el programa busque el dato indicado y lo reemplace por el dato especificado. Si desea tener un mayor control, o si no quiere reemplazar el dato en todos los casos, haga clic sobre **Buscar siguiente** o **Buscar todos** para localizar los casos que quiere reemplazar y los que no. Cuando haya seleccionado un caso en el que sí desea reemplazar el dato, haga clic sobre el botón **Reemplazar**.

 Nota: También se puede acceder a la ficha Reemplazar, del cuadro de diálogo Buscar y reemplazar pulsando **Control-L**.

Qué es una tabla

Una tabla es un rango de celdas que incluyen información relacionada y cuya administración es independiente a la del resto de datos de la hoja de cálculo. En una tabla, la información se almacena en filas, siendo las columnas las categorías en las que se estructura esa información. Por ejemplo, en una tabla podríamos almacenar información sobre libros. En cada fila se incluiría la información referente a un libro, y las columnas determinarían qué información de cada libro se almacena (autor, editorial, precio, categoría, etc.).

La ventaja de utilizar tablas en lugar de rangos normales es que Excel facilita y simplifica su gestión, ya que incluye bastantes herramientas y recursos prediseñados que, de otra forma, tendríamos que establecer o configurar de forma manual. Algunos ejemplos son los siguientes:

- Cada columna tiene habilitado la función de filtrado de datos.

- Con un simple clic se puede añadir una fila de totales, que nos permite realizar distintos cálculos con los datos de la tabla.

- La celda situada en la esquina inferior derecha de la tabla incluye un pequeño controlador de tamaño, que permite cambiar el tamaño de la tabla de forma sencilla, simplemente arrastrando con el cursor.

- Excel facilita varios diseños predefinidos, con distintos formatos de texto y color de fondo para las filas de la tabla.

- Permiten utilizar referencias estructuradas, de forma que, en una fórmula, podemos utilizar nombres de la tabla en lugar de referencias a celdas.

- Permite localizar y eliminar información redundante de forma automática.

- Al desplazarse hacia abajo en una lista larga de datos, las etiquetas de los encabezados de columna reemplazan a las letras de identificación de las columnas, para facilitar así la lectura de información.

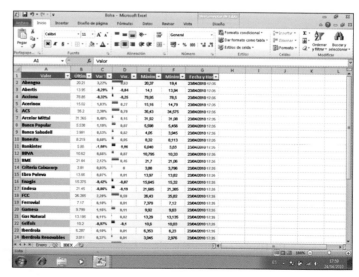

Crear una tabla

1. En la hoja de cálculo en la que quiere crear la tabla, seleccione el rango de celdas que formarán la tabla. Este rango puede estar vacío o contener datos.

2. En la ficha Insertar de la Cinta de Opciones, en el grupo Tablas, haga clic sobre el botón **Tabla**.

3. En el cuadro de diálogo Crear tabla, active la casilla La tabla tiene encabezados si la primera fila contiene los encabezados de columna.

4. Haga clic sobre el botón **Aceptar**. El rango seleccionado adoptará el formato de una tabla y cada campo incluirá una flecha desplegable para filtrar u ordenar.

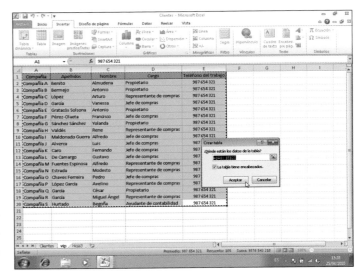

Cambiar el nombre de una tabla

Si, una vez creada una tabla, desease cambiarle el nombre, siga estos pasos:

1. Active cualquier celda de la tabla cuyo nombre quiere cambiar.

2. En la ficha Diseño de la Cinta de Opciones, en el grupo Propiedades, escriba el nuevo nombre de la tabla en el cuadro de texto Nombre de la tabla y pulse la tecla **Intro**. Podrá ver que el cambio ha tenido efecto en el Cuadro de nombres, que ahora mostrará el nuevo nombre de la tabla.

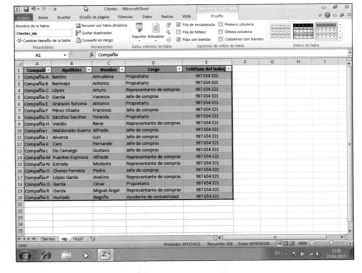

Cambiar el tamaño de una tabla con el ratón

Si necesitase modificar el tamaño de una tabla y quisiera hacerlo con el ratón:

1. Desplácese hasta el final de la tabla. Una forma rápida de hacerlo es pulsando **Control-Fin**.

2. Coloque el cursor del ratón sobre el controlador de tamaño de la tabla. El controlador de tamaño es un pequeño triángulo de color situado en la esquina de la última celda de la tabla.

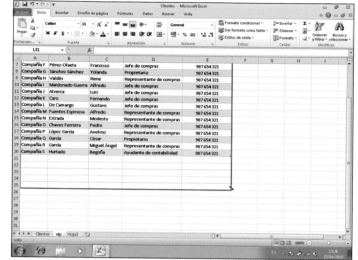

3. Cuando el cursor se haya transformado en una doble flecha negra, haga clic y arrastre hasta conseguir el tamaño deseado para la tabla.

Utilizar el cuadro de diálogo Ajustar el tamaño de la tabla

Si prefiere editar el tamaño mediante Ajustar el tamaño de la tabla:

1. Haga clic sobre cualquier celda de la tabla.

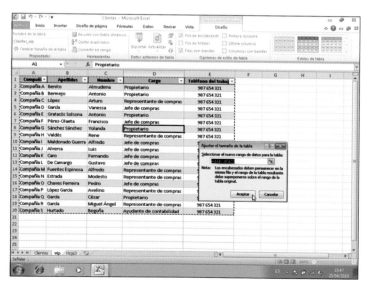

2. En la ficha Diseño de la Cinta de Opciones, en el grupo Propiedades, haga clic sobre la opción Cambiar tamaño de la tabla.

3. En el cuadro de diálogo Ajustar el tamaño de la tabla, especifique las celdas que delimitan el nuevo rango formado por la tabla.

4. Haga clic sobre el botón **Aceptar**.

Transformar una tabla en un rango

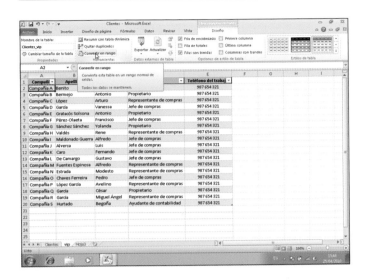

Para transformar una tabla en un rango:

1. Haga clic sobre cualquier celda de la tabla.

2. En la ficha Diseño de la Cinta de Opciones de Excel, en el grupo Herramientas, haga clic sobre la opción Convertir en rango.

3. Cuando Excel le pida confirmación, haga clic sobre el botón **Sí**.

Nota: El rango mantiene el formato que tenía la tabla.

Eliminar una tabla

Si quiere eliminar una tabla, siga los siguientes pasos:

1. Abra la hoja de cálculo que contiene la tabla que desea eliminar.

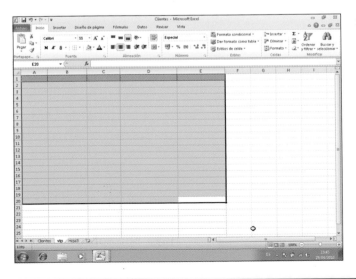

2. Seleccione el rango de celdas de la tabla. Para seleccionar toda la tabla rápidamente puede utilizar el Cuadro de nombres. Haga clic sobre su flecha desplegable y seleccione a continuación el nombre de la tabla.

3. Con la tabla seleccionada pulse la tecla **Supr**. Se borrarán los datos de la tabla y los estilos aplicados a sus celdas.

Aplicar un estilo de tabla predefinido

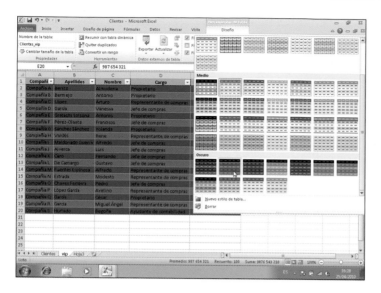

1. Haga clic sobre cualquier celda de la tabla.

2. En la ficha Diseño de la Cinta de Opciones, en el grupo Estilos de tabla, seleccione un estilo. Haciendo clic sobre el botón **Más** (⊽) se muestra una lista con todos los estilos predefinidos disponibles. Cada vez que sitúe el cursor del ratón sobre un estilo, la tabla le muestra cómo quedaría.

Quitar el estilo de una tabla

1. Haga clic sobre cualquier celda de la tabla cuyo estilo desea eliminar.

2. En la ficha Diseño de la Cinta de Opciones, en el grupo Estilos de tabla, haga clic sobre el botón **Más** (⊽).

3. Haga clic sobre la opción Borrar, situada al final del menú desplegable.

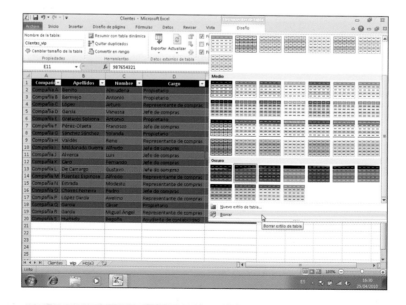

Eliminar duplicados

Elimine duplicados siguiendo estos sencillos pasos:

1. Haga clic sobre cualquier celda de la tabla.

2. En la ficha Diseño de la Cinta de Opciones de Excel, en el grupo Herramientas, seleccione la opción Quitar duplicados.

3. En el cuadro de diálogo Quitar duplicados, seleccione las columnas en las que Excel buscará los datos duplicados y, a continuación, haga clic sobre **Aceptar**.

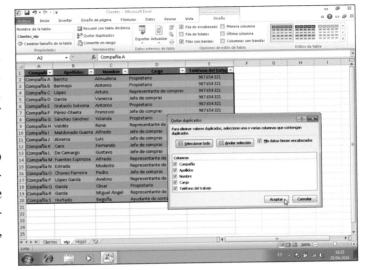

4. Excel indica el número de valores duplicados encontrados. Haga clic sobre el botón **Aceptar**.

Añadir una fila Total

1. Haga clic sobre cualquier celda de la tabla.

2. En la ficha Diseño de la Cinta de Opciones, en el grupo Opciones de estilo de tabla, active la casilla de verificación de Fila de totales. Excel añadirá una fila de totales al final de la tabla.

3. Haga clic sobre cualquiera de las celdas de la fila de totales añadida por Excel. Aparecerá una flecha de menú desplegable. Haga clic sobre esta flecha desplegable y seleccione el tipo de operación que desea realizar con los datos de esa columna.

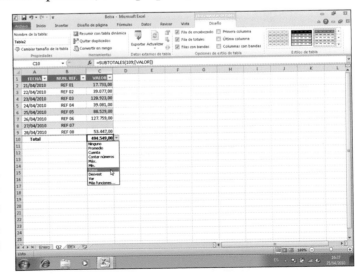

Capítulo 4
Imprimir un libro

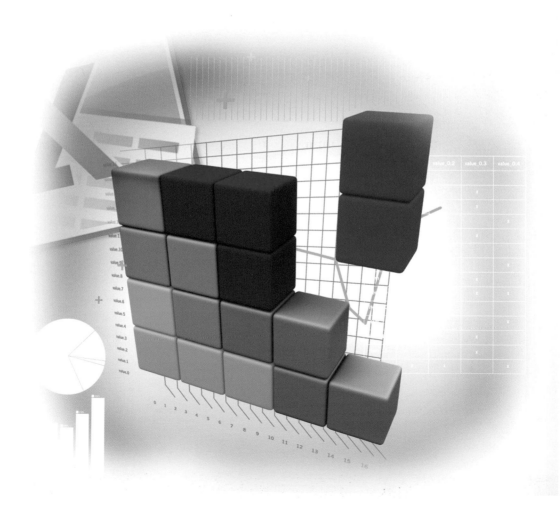

Impresión rápida

Para imprimir rápidamente una hoja de cálculo:

1. Haga clic sobre la ficha Archivo para acceder a la Vista Backstage, o pulse **Control-P** en el teclado.

2. Seguidamente, seleccione la opción Imprimir.

3. Haga clic sobre el botón **Imprimir**.

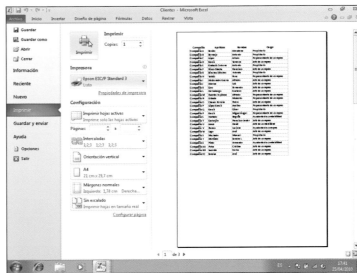

Utilizando las opciones del apartado Configuración, se puede elegir entre:

- **Imprimir hojas activas**: Imprime las hojas activas. Recuerde que puede utilizar las teclas **Control** y **Mayús** para seleccionar múltiples hojas.

- **Imprimir todo el libro**.

- **Imprimir selección**: Permite imprimir únicamente el rango de celdas previamente seleccionadas.

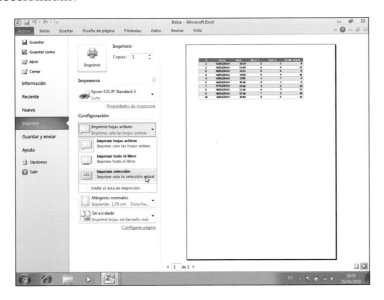

Imprimir varios libros al mismo tiempo

Es necesario que todos los libros que desee imprimir estén en la misma carpeta.

1. Haga clic sobre Archivo para acceder a la Vista Backstage.

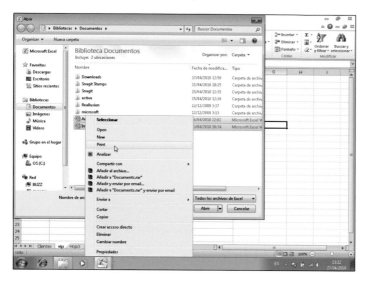

2. A continuación haga clic sobre la opción Abrir.

3. Localice la carpeta donde se encuentran los libros que desea imprimir.

4. Manteniendo presionada la tecla **Control**, seleccione los libros que desee imprimir.

5. Haga clic con el botón derecho del ratón sobre alguno de los libros seleccionados y elija la opción Imprimir.

Imprimir a archivo

1. Abra el libro que desea imprimir a un archivo.

3. Pulse **Control-P**.

3. En la sección Imprimir de la Vista Backstage, seleccione una impresora y, luego, active la casilla de la opción Imprimir a un archivo.

4. Seguidamente, haga clic sobre el botón **Imprimir**.

5. En el cuadro de diálogo Imprimir a un archivo, especifique un nombre para el archivo y haga clic sobre el botón **Aceptar**. El archivo creado se almacenará en la carpeta Documentos en Windows 7 y Vista o en la carpeta Mis documentos en Windows XP.

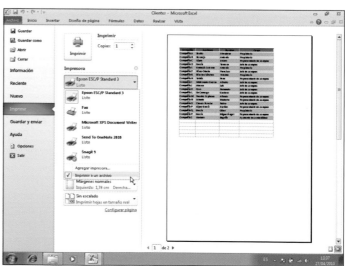

Vista preliminar

Si desea ver una vista previa de los datos antes de imprimirlos, siga estos pasos:

1. Abra el libro a imprimir y haga clic en Archivo.

2. Seleccione Imprimir. En la parte derecha de la ventana aparecerá una vista preliminar del elemento o elementos seleccionados para su impresión. Puede utilizar los controles que se encuentran situados en la parte inferior de la ventana para ver las distintas páginas resultantes de la impresión.

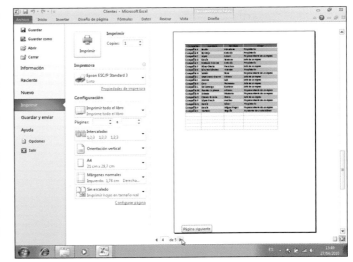

También podrá utilizar los botones **Mostrar márgenes** (⬜) y **Toda a la página** (⬛), situados en la esquina inferior derecha, para ver y modificar los márgenes de impresión y ver toda la página o ver una versión a tamaño real de impresión.

Conocer la vista Diseño de página

La vista Diseño de página permite realizar las mismas acciones que en la vista Normal y, al mismo tiempo, muestra cuál sería el aspecto del trabajo una vez impreso. Es útil para realizar cualquier modificación en el diseño de la página, pues permite ver al instante el resultado de los cambios realizados.

Para acceder a esta vista de trabajo haga clic sobre el icono **Diseño de página** (⬜), situado en la parte derecha de la Barra de estado, en la parte inferior de la ventana de Excel. También puede utilizar el botón **Diseño de página** que se encuentra en el grupo Vistas de libro de la ficha Vista, en la Cinta de Opciones.

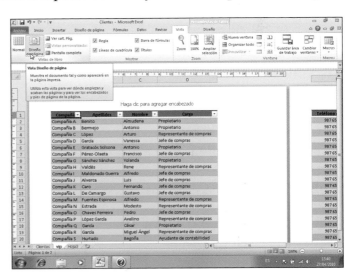

Cambiar los márgenes

Para editar los márgenes existen distintas formas. A continuación le detallamos uno de estos procedimientos:

1. En la ficha Diseño de página de la Cinta de Opciones, haga clic sobre la opción Márgenes del grupo Configurar página.

2. Elija una de las cuatro configuraciones predeterminadas que aparecen o elija la opción Márgenes personalizados.

3. Si ha seleccionado la opción Márgenes personalizados, puede elegir los valores de todos los márgenes y hacer un diseño propio a su medida.

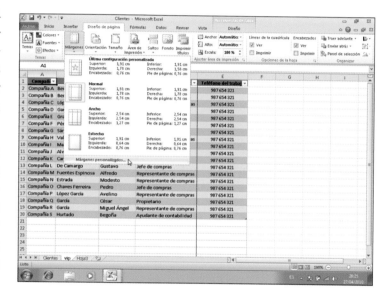

4. Si trabaja en vista Normal, desde este mismo cuadro de diálogo puede elegir Vista preliminar y comprobar si los valores que está utilizando son los que desea.

5. Cuando haya establecido los valores definitivos, pulse el botón **Aceptar**.

Además de este procedimiento, existen otros modos de cambiar los márgenes: manualmente en Vista Diseño de página, utilizando las reglas horizontal y vertical; o desde Archivo>Imprimir, haciendo clic sobre el botón **Mostrar márgenes** situado en la esquina inferior derecha.

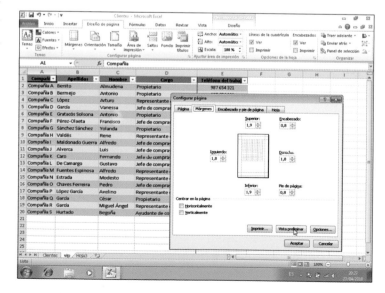

Centrar los datos

Le resultará muy sencillo centrar los datos siguiendo estos pasos:

1. En la ficha Diseño de página de la Cinta de Opciones, haga clic sobre la opción Márgenes que encontrará en el grupo Configurar página.

2. Elija la opción Márgenes personalizados.

3. En la sección Centrar página, puede optar entre centrar los datos de manera horizontal, vertical o ambos a la vez. El resultado se muestra inmediatamente en el gráfico de ejemplo del cuadro de diálogo Configurar página.

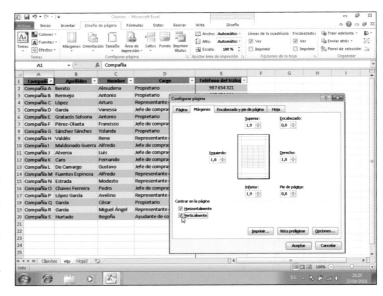

Cambiar la orientación

Si lo que desea es cambiar la orientación, tan sólo habrá de ejecutar estos dos sencillos pasos:

1. En la ficha Diseño de página de la Cinta de Opciones, haga clic sobre la opción Orientación que encontrará en el grupo Configurar página.

2. Puede elegir entre dos opciones: Vertical u Horizontal.

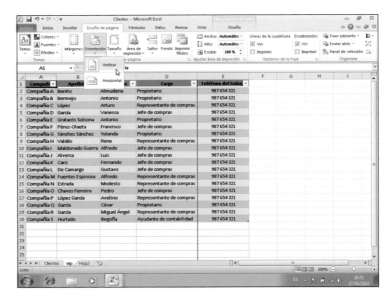

Cambiar el tamaño del papel

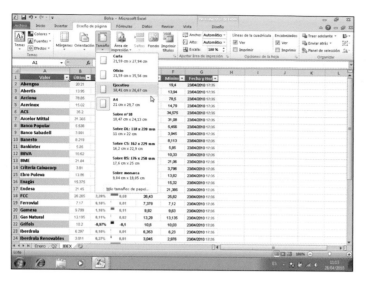

1. En la ficha Diseño de página, haga clic sobre la opción Tamaño del grupo Configurar página.
2. En el menú aparecen una amplia variedad de tamaños y es posible que su impresora no acepte todos. Elija el que desee utilizar.
3. Además, en la opción Más tamaños de papel puede establecer una configuración personalizada para el tamaño del papel.

Establecer un área de impresión

La diferencia entre esta función e imprimir un rango es que, con esta opción, se pueden establecer diferentes áreas de impresión y, además, el área queda definida para el resto de las impresiones que queramos realizar, no siendo necesario que las seleccionemos de nuevo, como ocurre con el rango.

1. Seleccione la primera área de impresión.
2. En la ficha Diseño de página, haga clic sobre la opción Área de impresión del grupo Configurar página.
3. Seleccione Establecer área de impresión en el menú desplegable.

Al establecer más de un área de impresión, ese mismo menú desplegable se amplía con la opción Agregar al área de impresión, que puede seleccionarse tantas veces como necesite.

La opción Borrar área de impresión, elimina todas las áreas que haya seleccionado, no solamente la última.

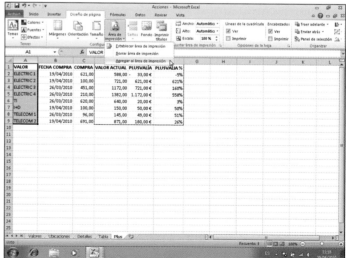

Añadir saltos de página

Para que la hoja de cálculo tenga la apariencia que usted quiere, puede establecer los saltos de página a su gusto y no dejar que sea el programa el que los realice. Los saltos de página se insertan encima y a la izquierda de la selección actual. Para insertar saltos de página verticales u horizontales:

1. Seleccione una fila debajo, o una columna a la derecha, del lugar donde quiera insertar el salto.
2. En la ficha Diseño de página, haga clic sobre Saltos del grupo Configurar página.
3. Elija la opción Insertar salto de página.

Con la opción Vista previa de salto de página verá cómo afectan los cambios que realice a los saltos de página automáticos.

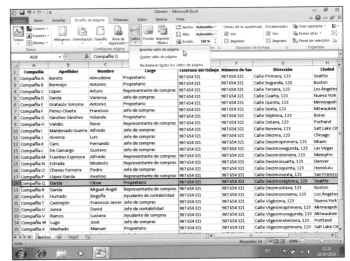

Eliminar saltos de página

1. Para eliminar saltos de página de uno en uno, seleccione la fila inferior, o la columna a la derecha del lugar donde se encuentra el salto de página que quiere eliminar.
2. En la ficha Diseño de página de la Cinta de Opciones, haga clic sobre la opción Saltos del grupo Configurar página.
3. Elija la opción Quitar salto de página.
4. Para quitar todos los saltos de página manuales que haya establecido en el programa, elija, en el menú anterior, la opción Restablecer todos los saltos de página y quedarán únicamente los saltos de página automáticos establecidos por el propio programa.

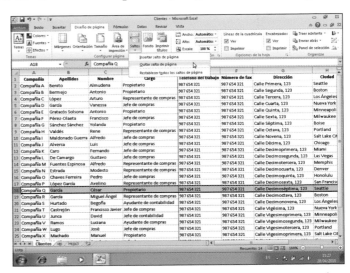

Utilizar una imagen de fondo

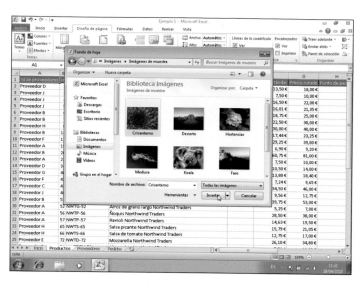

1. Abra la hoja de cálculo en la que desea incluir una imagen de fondo.

2. En la ficha Diseño de página de la Cinta de Opciones, en el grupo Configurar página, haga clic sobre la opción Fondo.

3. En el cuadro Fondo de hoja, localice la imagen que desea añadir como fondo de la hoja de cálculo. Cuando la haya encontrado, haga clic sobre **Insertar**.

Nota: Esta imagen de fondo no saldrá en una impresión aunque sí en la presentación en pantalla de la hoja de cálculo.

Imprimir las líneas de división de las celdas

Aunque las líneas de división de las celdas aparecen de manera predeterminada, no se imprimen a no ser que se determine para una mejor lectura de los datos. Para ello:

1. Seleccione la hoja de cálculo que desea modificar.

2. En la ficha Diseño de página, en la opción Líneas de cuadrícula del grupo Opciones de la hoja, active la casilla de verificación Imprimir, así aparecerán todas las líneas divisorias.

3. Si desea ver cómo aparecería la hoja de cálculo sin líneas, únicamente desactive la casilla de verificación Ver.

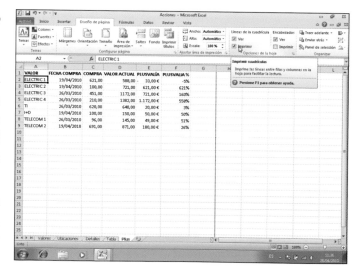

Incluir una marca de agua

Para insertar una marca de agua, incluiremos una imagen en el encabezado o en el pie de página de una hoja de cálculo.

1. Abra la hoja de cálculo que desea modificar.

2. Pase a la vista Diseño de página utilizando el botón **Diseño de página** existente en el grupo Vistas de libro de la ficha Vista, en la Cinta de Opciones.

3. Haga clic sobre la zona del encabezado. Si la hoja no tiene un encabezado, aparecerá el texto Haga clic para agregar encabezado.

4. Haga clic sobre la ficha Diseño perteneciente a la nueva sección Herramientas para encabezado y pie de página que ha aparecido en la parte derecha de la Cinta de Opciones.

5. Seguidamente, seleccione la opción Imagen del grupo Elementos del encabezado y pie de página.

6. En el cuadro de diálogo Insertar imagen, localice la imagen y, a continuación, haga clic sobre el botón **Insertar**.

7. Haga clic fuera del encabezado de página para ver la imagen.

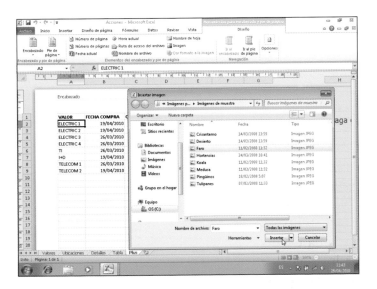

 Nota: Puede modificar la imagen añadida con la opción Dar formato a la imagen existente en la ficha Diseño de la sección Herramientas para encabezado y pie de página.

Imprimir encabezados de fila y columna

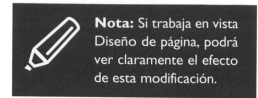

Nota: Si trabaja en vista Diseño de página, podrá ver claramente el efecto de esta modificación.

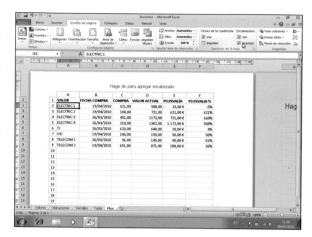

1. Seleccione la hoja de cálculo que desea modificar.

2. En la ficha Diseño de página, en la opción Encabezados de Opciones de la hoja, active la casilla de verificación Imprimir.

Cambiar la escala de impresión

Cambiando la escala de impresión se consigue modificar el tamaño de la información a la hora de imprimir, no afectando, sin embargo, a la información almacenada en el libro.

1. Abra la hoja de cálculo cuya escala de impresión desea modificar.

2. En la ficha Diseño de página de la Cinta de Opciones, en el grupo Ajustar área de impresión, seleccione los valores que mejor le convengan para las opciones Ancho, Alto y Escala. Por ejemplo, si quiere que todos los datos de la hoja de cálculo se impriman en una única página, seleccione el valor 1 página para las opciones Ancho y Alto. La información se comprimirá en una página. Pero si quiere modificar el tamaño en un porcentaje del valor real, cambie el porcentaje que aparece en la opción Escala, dejando el valor Automático tanto en Ancho como en Alto.

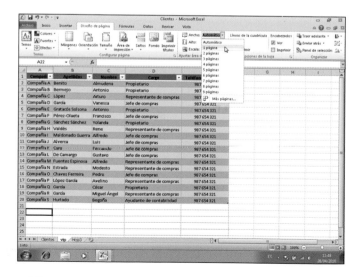

Imprimir comentarios

Para imprimir los comentarios de una hoja de cálculo:

1. Abra la hoja donde se encuentran los comentarios que desea imprimir.

2. Primeramente tendrá que hacer visibles los comentarios que desee imprimir de su hoja de cálculo. Para ello, haga clic con el botón derecho del ratón sobre la celda que incluye el comentario, y seleccione Mostrar u ocultar comentarios. Si quiere mostrar todos los comentarios de la hoja, puede utilizar el comando Mostrar todos los comentarios de la ficha Revisar de la Cinta de Opciones.

3. En la ficha Diseño de página de la Cinta de Opciones, haga clic sobre el indicador de cuadro de diálogo ( ), situado junto a Configurar página.

4. Excel nos ofrece la posibilidad de configurar el modo en el que se mostrarán los comentarios en la hoja impresa para ello, en la ficha Hoja del cuadro de diálogo Configurar página, haga clic sobre la lista desplegable Comentarios y seleccione la forma en la que quiera su representación. Podrá seleccionar entre Al final de la hoja y Como en la hoja.

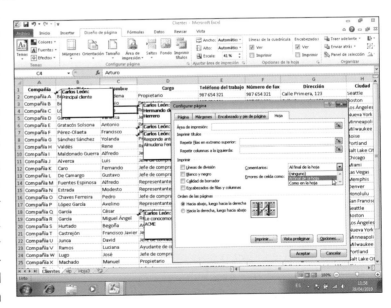

5. Puede hacer clic sobre **Vista preliminar** para ver cómo quedarán los comentarios una vez impresos.

6. A continuación imprima el documento de la forma habitual.

Añadir un encabezado de página

1. Abra la hoja de cálculo a la que desea añadir un encabezado de página.

2. Pase a la vista Diseño de página de la hoja haciendo clic sobre el botón **Diseño de página** de la ficha Vista de la Cinta de Opciones.

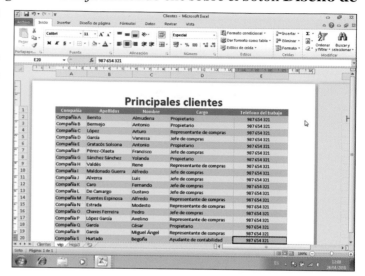

3. Haga clic sobre el texto Haga clic para agregar encabezado y escriba el texto que quiera como encabezado de la hoja. Puede utilizar las opciones del grupo Fuente de la ficha Inicio para aplicar formato al texto del encabezado.

4. Haga clic fuera del encabezado de página.

Añadir un pie de página predefinido

1. Abra la hoja de cálculo a la que quiere añadir un pie de página.

2. Haga clic sobre el botón Encabezado y pie de página del grupo Texto de la ficha Insertar, en la Cinta de Opciones. La hoja pasará a vista Diseño de página.

3. Vaya a la parte inferior de la página y haga clic en el texto Haga clic para agregar pie de página.

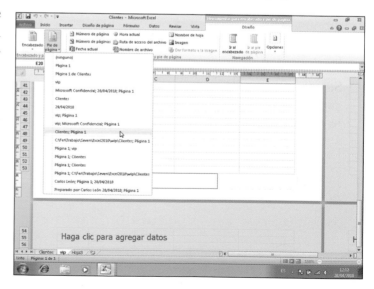

4. En la ficha Diseño que aparece en la parte derecha de la Cinta de Opciones, haga clic en el botón **Pie de página** del grupo Encabezado y pie de página.

5. Seleccione cualquiera de las opciones predefinidas disponibles en la lista.

Modificar un encabezado o un pie de página

1. Abra la hoja cuyo encabezado o pie de página desea modificar.

2. Pase a vista Diseño de página haciendo clic sobre el botón **Diseño de página** ( ), situado en la Barra de estado de Excel, en la parte inferior de la ventana.

3. Seleccione el texto del encabezado o del pie que desea modificar. Puede utilizar las opciones del grupo Fuente de la ficha Inicio para modificarlo. También puede cambiar el tipo y el tamaño, su color, ponerlo en negrita, cursiva, etc. También puede utilizar las opciones de la ficha Diseño. Aquí, por ejemplo, puede hacer que el encabezado de la primera página sea distinto al del resto de páginas.

Eliminar un encabezado o un pie de página

1. Abra la hoja cuyo encabezado o pie de página desea eliminar.

2. Pase a vista Diseño de página haciendo clic sobre el botón **Diseño de página** ( ), en la Barra de estado, en la parte inferior de la ventana.

3. Seleccione el texto del encabezado o del pie de página y pulse **Supr** para borrarlo.

4. Haga clic fuera de la sección del encabezado o del pie. Haga clic para agregar encabezado o Haga clic para agregar pie de página volverán a aparecer.

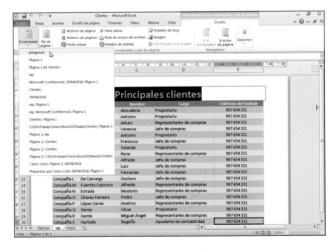

También puede seleccionar la opción (ninguno) del botón **Encabezado** o **Pie de página** de la ficha Diseño que aparece cuando se selecciona un encabezado o un pie de página.

Determinar el número de copias

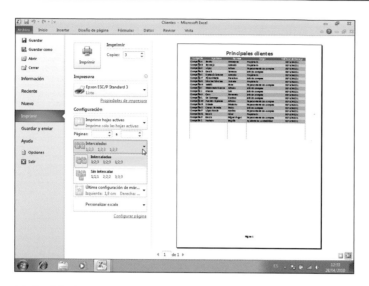

Para especificar la cantidad de copias que desea imprimir:

1. Haga clic en Archivo para acceder a la Vista Backstage.

2. Después, seleccione la opción Imprimir.

3. En la sección Imprimir, junto al botón **Imprimir**, en la opción Copias, especifique la cantidad de copias que desea imprimir.

4. Pulse **Imprimir**.

Si decide imprimir más de una copia, puede utilizar la opción Intercaladas o Sin intercalar existentes en la sección Configuración, según su conveniencia.

Seleccionar el orden de impresión de las páginas

1. Abra la hoja de cálculo que desea imprimir.

2. En la ficha Diseño de página de la Cinta de Opciones, haga clic sobre el indicador de cuadro de diálogo (⬜) del grupo Configurar página.

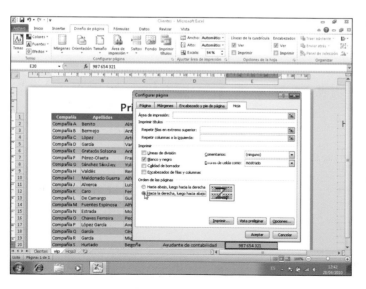

3. En la ficha Hoja del cuadro de diálogo Configurar página, en la sección Orden de las páginas, elija el orden para imprimir las páginas de la hoja de cálculo que más se adecúe a sus necesidades.

4. Haga clic sobre **Aceptar** si quiere guardar la configuración como predeterminada, o sobre **Imprimir** para imprimir la selección actual con la configuración.

Calidad de la impresión

1. Abra la hoja de cálculo correspondiente.

2. En la ficha Diseño de página, haga clic sobre el indicador de cuadro de diálogo ( ) del grupo Configurar página.

3. En la ficha Página del cuadro de diálogo Configurar página, en la opción Calidad de impresión, elija la calidad deseada, que puede ser Alta, Media, Baja o Borrador.

4. Haga clic sobre **Aceptar**.

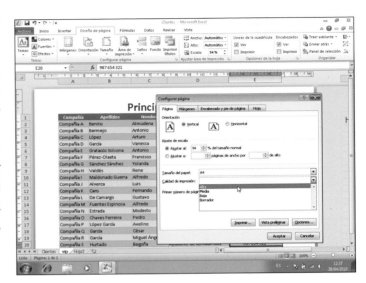

Nota: Normalmente, también podrá determinar la calidad de la impresión en las propiedades de la impresora, antes de iniciar la impresión.

Imprimir en blanco y negro

Si su trabajo ha de ser impreso en blanco y negro:

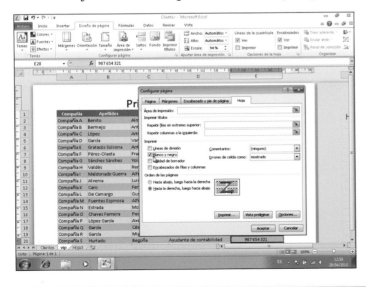

1. Abra la hoja de cálculo que desea imprimir.

2. En la ficha Diseño de página, haga clic sobre el indicador de cuadro de diálogo ( ) del grupo Configurar página.

3. En el cuadro de diálogo Configurar página, en la ficha Hoja, seleccione la opción Blanco y negro en las sección Imprimir.

4. Haga clic en **Imprimir**.

Capítulo 5
Cambiar el aspecto
de un libro

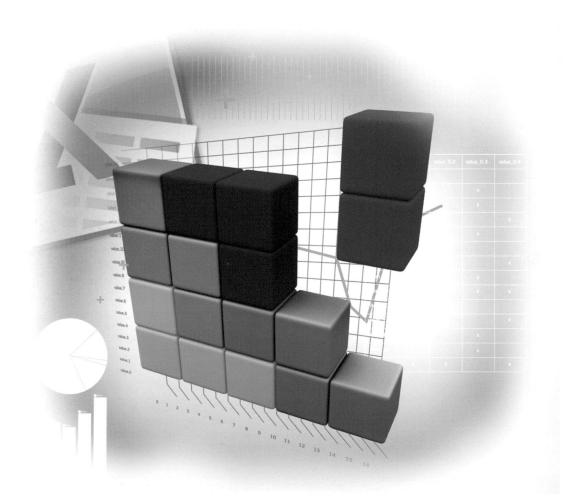

Cambiar el tipo de letra utilizado

Para editar o cambiar la tipografía de su documento:

1. Seleccione la celda o el rango que contiene el texto cuya fuente quiere cambiar.

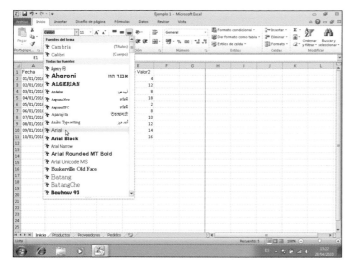

2. En la ficha Inicio, en el grupo Fuente, haga clic sobre la flecha desplegable de la opción Fuente. Se desplegará la lista de fuentes disponibles.

3. Coloque el cursor del ratón sobre las distintas fuentes de la lista desplegable. El texto del rango seleccionado cambiará para mostrar su apariencia con la fuente seleccionada.

4. Cuando localice la fuente, haga clic sobre ella.

Cambiar el tamaño de la fuente

Si la tipografía es la adecuada para su documento, pero desea cambiar su tamaño:

1. Seleccione la celda o el rango que contiene el texto que quiere modificar.

2. En la ficha Inicio de la Cinta de Opciones, en el grupo Fuente, haga clic sobre la flecha desplegable de la opción Tamaño de fuente y elija el tamaño deseado.

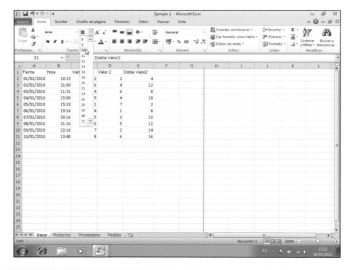

Nota: Al pasar el cursor del ratón por las opciones del control Tamaño de fuente, el texto cambia y muestra su apariencia con el tamaño seleccionado.

Cambiar el color de la fuente

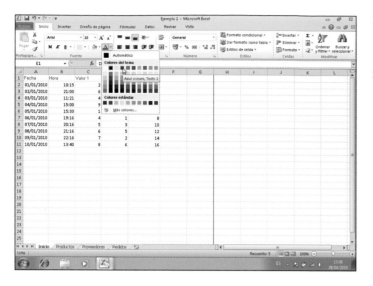

1. Seleccione la celda o rango que contienen el texto que quiere modificar.

2. En la ficha Inicio, en el grupo Fuente, haga clic sobre la flecha desplegable de la opción Color de fuente, y elija un color. Puede hacer clic sobre la opción Más colores para acceder al cuadro de diálogo Colores, donde encontrará una mayor cantidad de colores, o donde podrá definir su propio color.

Aplicar un estilo a la fuente

Los estilos que puede aplicar a una fuente dependen de la propia fuente. Por lo general, los estilos estándar que aceptan todas las fuentes son normal, negrita, cursiva y subrayado. Para aplicar un estilo al texto, los pasos son:

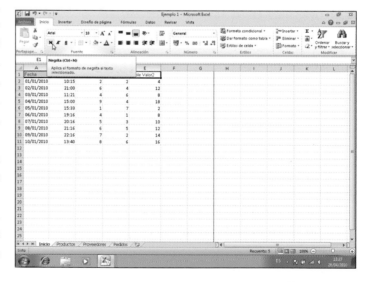

1. Seleccione la celda o rango que contienen el texto que quiere modificar.

2. En la ficha Inicio, en el grupo Fuente, haga clic sobre el estilo que quiere aplicar al texto.

Nota: También puede hacer clic sobre el indicador de cuadro de diálogo ( ) del grupo Fuente, en la ficha Inicio de la Cinta de Opciones, para acceder a la ficha Fuente del cuadro de diálogo Formato de celdas, donde podrá encontrar algún efecto de texto adicional.

Alinear el texto

1. Seleccione la celda o el rango que contienen el texto que quiere alinear.

2. En la ficha Inicio, haga clic sobre el indicador de cuadro de diálogo ( ) del grupo Alineación.

3. En la ficha Alineación del cuadro de diálogo, en la sección Alineación del texto, seleccione las opciones que más le gusten para la alineación Horizontal y Vertical.

4. Haga clic sobre **Aceptar**.

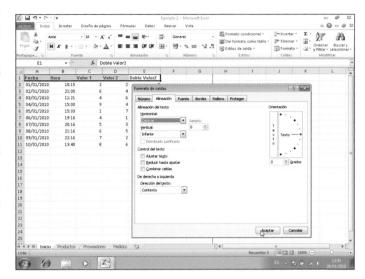

 Nota: También dispone de estos comandos en la Cinta de Opciones, en la ficha Inicio, en el grupo Alineación.

Cambiar la orientación del texto

1. Seleccione la celda o el rango que contienen el texto que quiere modificar.

2. En la ficha Inicio, haga clic sobre el indicador de cuadro de diálogo ( ) del grupo Alineación.

3. En la ficha Alineación del cuadro de diálogo, en la sección Orientación, en la opción Grados, especifique los grados de inclinación que quiere dar al texto. También puede utilizar el control de orientación, similar a la media esfera de un reloj, situado justo encima. O si desea que el texto aparezca vertical, haga clic sobre la opción Texto.

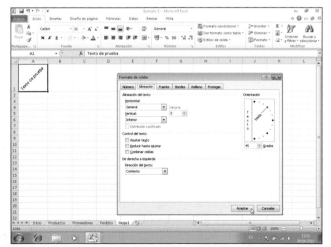

Añadir un cuadro de texto

1. Abra la hoja de cálculo en la que desea añadir el cuadro de texto.

2. En la ficha Insertar de la Cinta de Opciones, en el grupo Texto, seleccionar la opción Cuadro de texto.

3. Haga clic en la zona de trabajo de la hoja de cálculo y comience a escribir el texto que desee.

4. Seleccione el texto y haga clic con el botón derecho del ratón sobre el cuadro de texto. Aparecerá una barra de herramientas flotante con distintas opciones.

5. Una vez haya terminado de editar el texto, haga clic fuera del cuadro de texto.

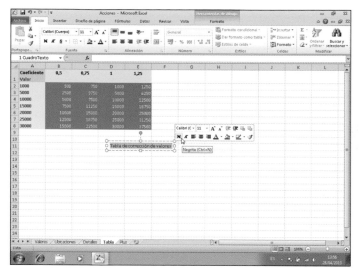

Modificaciones a un cuadro de texto

- **Seleccionar:** Para seleccionar el cuadro de texto, haga clic sobre él. Aparecerá su marco de selección.

- **Cambiar de tamaño:** Haga clic sobre uno de los controladores de tamaño.

- **Mover:** Coloque el cursor del ratón sobre el marco de selección del cuadro de texto y, cuando se transforme en una flecha cuádruple, arrástrelo hasta el emplazamiento deseado.

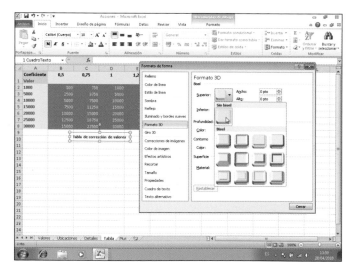

- **Editar el texto:** Haga doble clic sobre el texto y modifíquelo como desee.

- **Formato de forma:** Haga clic con el botón derecho del ratón sobre el cuadro de texto y seleccione Formato de forma. Dispondrá de múltiples opciones.

Eliminar un cuadro de texto

1. Seleccione el cuadro de diálogo que desea eliminar haciendo clic sobre él. Si el marco de selección es una línea intermitente, significa que está en modo edición de texto, y no está correctamente seleccionado el cuadro de texto. En este caso, pulse **F2**.

2. Pulse la tecla **Supr**.

Insertar texto WordArt

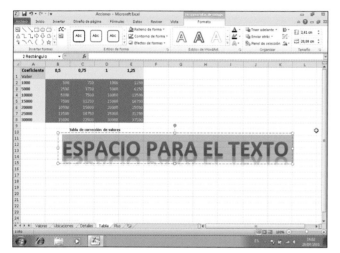

1. Abra la hoja de cálculo en la que desea añadir el cuadro de texto.

2. En la ficha Insertar, en el grupo Texto, haga clic sobre el botón **WordArt** y seleccione la opción que más le guste. Aparecerá un cuadro de texto con el estilo seleccionado y con el texto Espacio para el texto.

3. Haga clic en el cuadro de texto y escriba el texto que desea añadir.

Modificar un texto WordArt

Un texto WordArt se modifica igual que el texto de cualquier otro cuadro de texto. También se pueden utilizar las Herramientas de dibujo, situadas en la ficha Formato de la Cinta de Opciones.

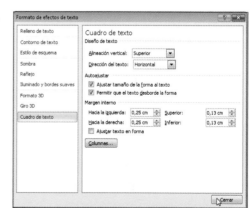

1. Seleccione el cuadro de texto que contiene el texto WordArt.

2. En la ficha Formato de la Cinta de Opciones, haga clic sobre el indicador de cuadro de diálogo ( ) del grupo Estilos de WordArt.

3. En el cuadro de diálogo Formato de efectos de texto, realice las modificaciones que crea oportunas, y haga clic sobre **Cerrar**.

Cambiar el color de las fichas de las hojas de cálculo

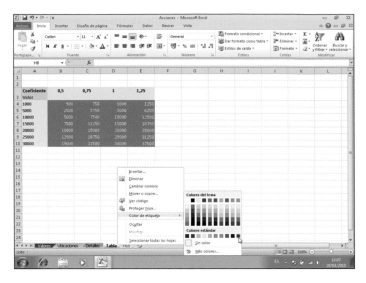

Si desea dar un color nuevo a las fichas de las hojas de cálculo:

1. Abra el libro que incluye las hojas de cálculo cuyas fichas desea modificar.

2. Haga clic con el botón derecho del ratón sobre la ficha de la hoja de cálculo.

3. Sitúe el cursor del ratón sobre la opción Color de etiqueta, y elija un color en el menú que se despliega.

Aplicar un color de fondo a las celdas

Si el color que desea editar es el del fondo de las celdas:

1. Primero, seleccione el rango de celdas a las que desea añadir un mismo color de fondo.

2. Haga clic con el botón derecho del ratón sobre la selección, y ejecute el comando Formato de celdas.

3. En la ficha Relleno del cuadro de diálogo Formato de celdas, seleccione el color que desea aplicar a la selección actual.

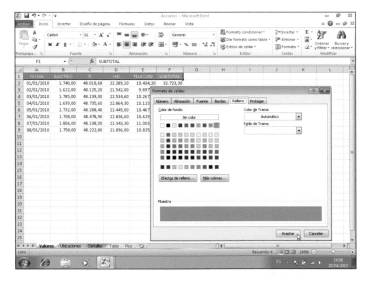

Nota: Usando las opciones de este mismo cuadro de diálogo, también puede añadir un degradado o una trama como fondo de las celdas seleccionadas.

Aplicar un degradado

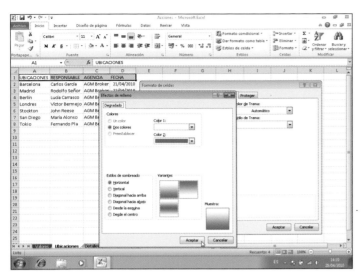

Para aplicar un degradado:

1. Seleccione el rango de celdas al que desea añadir un degradado.

2. Haga clic con el botón derecho del ratón sobre la selección, y ejecute el comando Formato de celdas.

3. En la ficha Relleno del cuadro de diálogo Formato de celdas, haga clic sobre **Efectos de relleno**.

4. Escoja el color y el estilo de degrado que más le guste y haga clic sobre **Aceptar**.

Combinar celdas

Para combinar varias celdas, siga estos pasos:

1. Seleccione el rango de celdas que desea combinar, es decir, que desea convertir en una única celda.

2. En la ficha Inicio de la Cinta de Opciones, haga clic sobre el indicador de cuadro de diálogo (⬜) del grupo Alineación.

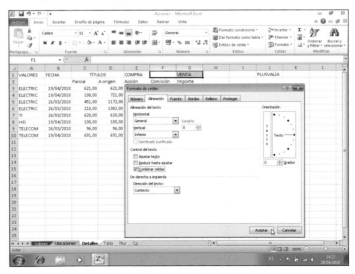

3. En la sección Control de texto, active la casilla de verificación de la opción Combinar celdas.

4. Haga clic sobre **Aceptar**.

También puede utilizar las opciones del botón **Combinar y centrar** (🔲 ▾) existente en el grupo Alineación de la ficha Inicio de la Cinta de opciones.

Modificar los bordes de las celdas

Como ejemplo, vamos a dibujar el contorno de un rango. Los pasos son:

1. Seleccione la celda o rango de celdas cuyos bordes desea modificar.

2. Haga clic con el botón derecho del ratón sobre la selección y ejecute el comando Formato de celdas.

3. En la ficha Bordes del cuadro Formato de celdas, especifique los valores que desea introducir para las celdas seleccionadas. Puede cambiar el estilo de la línea,

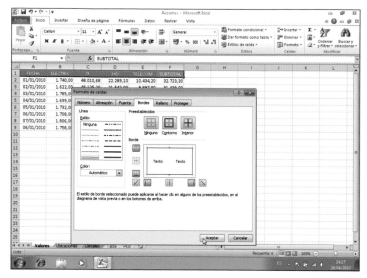

el color de la línea y especificar qué bordes serán los que se muestren. En este ejemplo, vamos a seleccionar la opción Contorno. Puede utilizar el diagrama situado en el cuadro de diálogo para ver y elegir los bordes que finalmente se mostrarán en la pantalla. Para activar o desactivar un borde, haga clic sobre él en el esquema central del cuadro de diálogo.

Copiar un formato

El proceso para copiar un formato consiste en:

1. Seleccione la celda o celdas cuyo formato desea copiar en otras celdas de la hoja de cálculo.

2. En la ficha Inicio, en el grupo Portapapeles, haga clic sobre el botón Copiar formato ( ).

3. Seleccione la celda o el rango a los que quiere aplicar el formato.

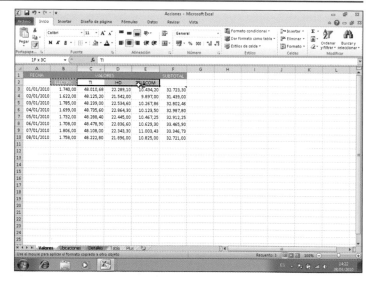

Estilo condicional

Como ejemplo de formato condicional, vamos a aplicar un formato de barra de datos a las celdas de una columna, de forma que la longitud de la barra sea proporcional al valor de la celda.

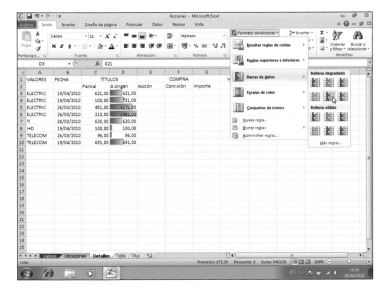

1. Seleccione el rango al que desea aplicar el formato condicional.

2. En la ficha Inicio de la Cinta de Opciones en el grupo Estilos, haga clic en la opción Formato condicional.

3. Coloque el cursor del ratón sobre la acción Barras de datos y luego seleccione la que más le guste.

Estilo de celda

Para determinar el estilo de las celdas:

1. Seleccione las celdas que desea modificar.

2. En la ficha Inicio de la Cinta de Opciones de Excel, en el grupo Estilos, haga clic sobre la opción Estilos de celda.

3. Seleccione el estilo predefinido que quiera aplicar a las celdas seleccionadas. Para ayudarle a tomar la decisión, al pasar el ratón sobre un estilo, éste se verá reflejado en las celdas seleccionadas de la hoja de datos.

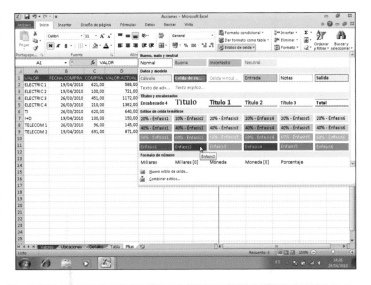

Crear un nuevo estilo de celda personalizado

Tal vez los estilos predeterminados no se ajusten a lo que necesita. Esto no supone problema alguno, siga estos pasos para crear un estilo personalizado:

1. Seleccione la celda o celdas que tienen el formato que quiere utilizar como base para un nuevo estilo de celda.

2. En la ficha Inicio, haga clic sobre el botón Estilos de celda.

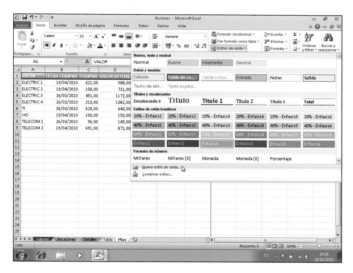

3. En el menú desplegable, seleccione la opción Nuevo estilo de celda.

4. En el cuadro de diálogo Estilo, especifique el nombre para el nuevo estilo, y active la casilla de verificación de aquellas características de las celdas seleccionadas que quiere añadir a su nuevo estilo.

5. Haga clic sobre **Aceptar**.

Dar formato como tabla

1. Haga clic sobre cualquier celda de la tabla cuya apariencia desea modificar.

2. En el grupo Estilos de la ficha Inicio de la Cinta de Opciones, haga clic sobre el botón **Dar formato como tabla**.

3. En el menú desplegable que aparece, seleccione la opción que más le gustc. Esta opción se puede utilizar también con un rango en lugar de con una tabla, pero al hacerlo, el rango se convertirá automáticamente en una tabla.

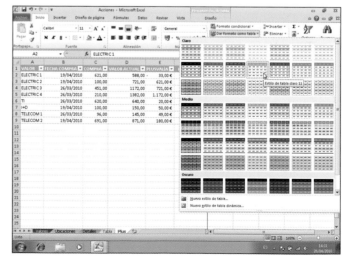

Aplicar un tema

Un tema es una configuración predefinida, que comprende colores, fuentes y otros efectos, y permite aplicar formato de forma rápida y cómoda a nuestros libros. Es una herramienta común de las aplicaciones de Microsoft Office, y facilita mantener una uniformidad estética en los documentos creados con Office.

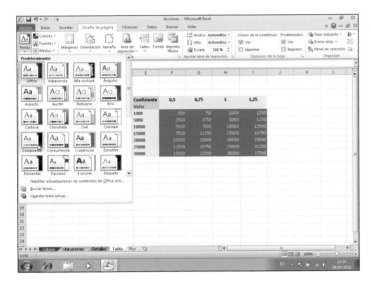

Al aplicar un tema en una hoja de cálculo de un libro, todas las hojas del libro se modifican:

1. Abra el libro al que quiere aplicar un tema.

2. En la ficha Diseño de página de la Cinta de Opciones, haga clic sobre el botón **Temas** del grupo Temas.

3. Seleccione uno de los temas incluidos en el menú desplegable.

Cambiar los colores del tema

En ocasiones, puede que el tema aplicado sea el adecuado pero necesite cambiar el color. Para realizar este cambio:

1. Abra el libro que quiere modificar.

2. En la ficha Diseño de página de la Cinta de Opciones de Excel, haga clic sobre el botón **Colores** del grupo Temas.

3. Seleccione una de las configuraciones de color incluidas en el menú desplegable. Los cambios afectarán a todo el libro.

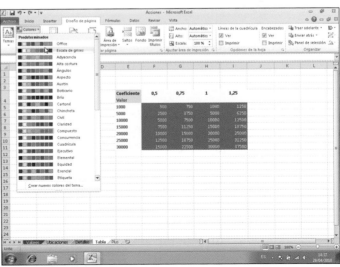

Guardar el tema actual

Si ha realizado modificaciones en los colores, fuentes o efectos de un tema predefinido, puede interesarle guardar la configuración actual como un nuevo tema, y así poder utilizarlo fácilmente en otros documentos. Para guardar la configuración actual como un tema nuevo:

1. Abra el libro cuya configuración de colores, fuentes y efectos desea guardar como un nuevo tema.

2. En la ficha Diseño de página de la Cinta de Opciones, haga clic sobre el botón **Temas** del grupo Temas.

3. Seleccione la opción Guardar tema actual.

4. En el cuadro de diálogo Guardar tema actual, especifique un nombre para el archivo donde se va a guardar el tema, y un emplazamiento en el disco duro. Finalmente, haga clic sobre **Guardar**.

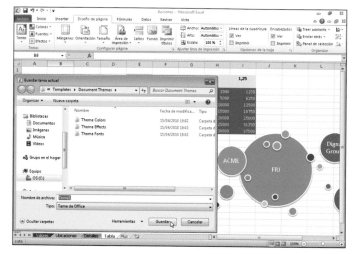

Buscar temas

1. En la ficha Diseño de página de la Cinta de Opciones, haga clic sobre el botón **Temas** del grupo Temas, y seleccione la opción Buscar temas.

2. Utilice el cuadro Elegir tema o documento temático para localizar el tema guardado que desea utilizar.

3. Una vez haya localizado el archivo, haga clic sobre **Abrir**. El nuevo tema se aplicará al libro actualmente abierto.

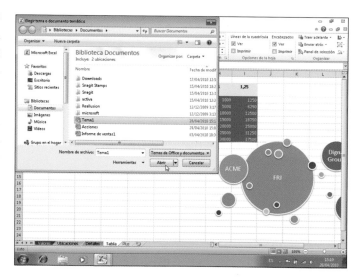

Añadir una imagen desde archivo

1. Abra la hoja de cálculo donde quiere incluir la nueva imagen.

2. En la ficha Insertar de la Cinta de Opciones, haga clic sobre el botón **Imagen** del grupo Ilustraciones.

3. En el cuadro Insertar imagen, busque y seleccione el archivo correspondiente a la imagen que desea añadir y, a continuación, haga clic sobre **Insertar**.

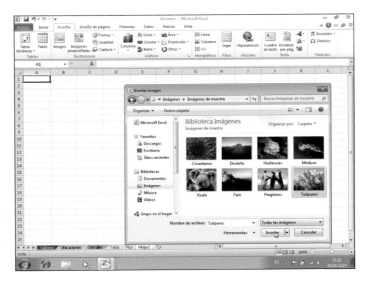

Añadir una imagen prediseñada

El procedimiento para añadir una imagen prediseñada es muy sencillo:

1. Abra la hoja de cálculo donde quiere incluir la imagen.

2. En la ficha Insertar, haga clic sobre el botón **Imágenes prediseñadas** del grupo Ilustraciones. Se abrirá en pantalla el panel Imágenes prediseñadas.

3. En el cuadro Buscar, escriba las palabras clave para realizar la búsqueda de las imágenes y, a continuación, haga clic sobre el botón **Buscar**. Puede utilizar las opciones del cuadro de lista Los resultados deben ser para especificar el tipo de archivo que desea buscar.

4. Entre los resultados de la búsqueda, haga clic sobre la imagen que desee añadir a la hoja de cálculo. La imagen se añadirá a la hoja.

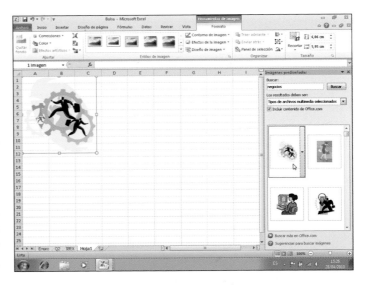

Modificar una imagen añadida

Puede modificar una imagen insertada de muchas maneras:

- **Mover:** Haga clic sobre la imagen y arrástrela hasta su nueva posición.

- **Cambiar de tamaño:** Utilice los controladores de tamaño que aparecen en su marco de selección. Son pequeños controles situados en las esquinas y en los puntos medios de los lados de la imagen seleccionada. Haga clic sobre uno de estos controladores y arrastre hasta alcanzar el tamaño deseado.

- **Opciones de la ficha Formato:** Al seleccionar la imagen, aparece la ficha Formato en la Cinta de Opciones de Excel. Aquí podrá encontrar un gran número de herramientas para modificar la imagen de muchas maneras. Podrá cambiar el brillo y el contraste de la imagen, podrá añadir distintos efectos, recortarla, especificar un tamaño exacto para la imagen, girarla, etc.

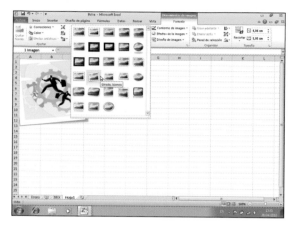

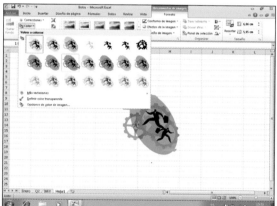

Restablecer la imagen a su apariencia original

Puede que algunas de las modificaciones realizadas en la imagen no le gusten y quiera restablecer su estado original:

1. Seleccione la imagen.

2. En la ficha Formato, en el grupo Ajustar, haga clic sobre Restablecer imagen.

Nota: Para eliminar una imagen, únicamente tiene que seleccionarla y pulsar seguidamente la tecla **Supr**.

Insertar un gráfico SmartArt

1. Abra la hoja de cálculo donde quiere incluir la imagen.

2. En la ficha Insertar de la Cinta de Opciones, haga clic sobre el botón **SmartArt** del grupo Ilustraciones. Se abrirá el panel Elegir un gráfico SmartArt.

3. En la parte izquierda del cuadro de diálogo Elegir un gráfico SmartArt, seleccione la categoría del gráfico que quiere utilizar.

4. En la parte central del cuadro de diálogo, haga clic sobre el gráfico que desea utilizar. En la parte derecha de la ventana, aparecerá una vista previa del gráfico seleccionado.

5. Una vez seleccionado el gráfico, haga clic en **Aceptar**.

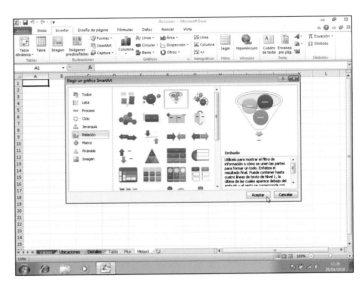

Aplicar colores a un gráfico SmartArt

Una vez insertado un gráfico SmartArt, suele ser por defecto de un único color. Una forma rápida de aplicarle color es la siguiente:

1. En la hoja de cálculo, seleccione el gráfico SmartArt que quiere editar haciendo clic sobre él.

2. En la ficha Diseño de la Cinta de Opciones de Excel, en el grupo Estilos de SmartArt, haga clic sobre el botón **Cambiar colores**.

3. Seleccione una de las combinaciones de colores del menú desplegable.

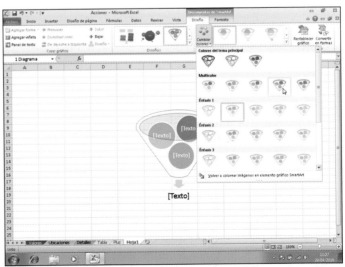

Añadir texto a un gráfico SmartArt

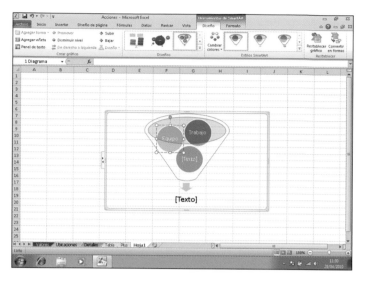

Si lo que necesita, es añadir texto a su SmartArt, el procedimiento es también muy sencillo:

1. Haga clic sobre la opción [Texto] de la figura del gráfico donde quiere añadir el nuevo texto.

2. Escriba el texto pertinente. El tamaño del texto se ajusta de forma automática al espacio actualmente existente en la figura.

 Nota: Puede utilizar las opciones del grupo Fuente de la ficha Inicio de la Cinta de Opciones, para modificar el texto y el color de la figura en la que se encuentra el texto. En la ficha Formato, también podrá encontrar herramientas de utilidad para modificar el formato del texto de un gráfico SmartArt.

Otra forma de añadir texto a las figuras del gráfico es la siguiente:

1. Seleccione el gráfico SmartArt.

2. Haga clic sobre las flechas situadas en la parte izquierda del marco de selección del gráfico. Aparecerá el Panel de texto. Para mostrar u ocultar este panel también puede utilizar el botón **Panel de texto** del grupo Crear gráfico, que encontrará en la ficha Diseño de la Cinta de opciones.

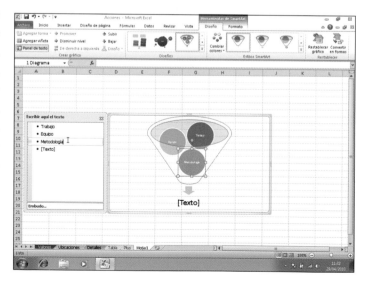

3. Introduzca el texto y cierre el cuadro.

Cambiar el diseño de un gráfico SmartArt

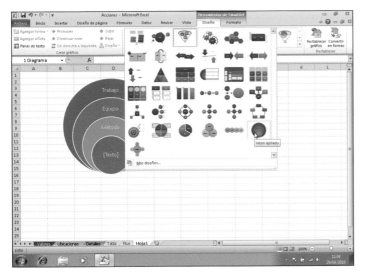

El procedimiento para editar el diseño de su SmartArt consiste en:

1. Seleccione el gráfico que quiere modificar.

2. En la ficha Diseño de la Cinta de Opciones, en el grupo Diseños, seleccione uno de los diseños disponibles. Dispone de controles de desplazamiento y un botón **Más** para ver todas las opciones.

Agregar una figura a un gráfico SmartArt

Tal vez sólo quiera añadir una figura a su gráfico SmartArt:

1. Seleccione el gráfico que desea modificar.

2. En ficha Diseño de la Cinta de Opciones, en el grupo Crear gráfico, haga clic sobre el botón **Agregar forma** y seleccione la opción de colocación de la nueva forma que desee utilizar.

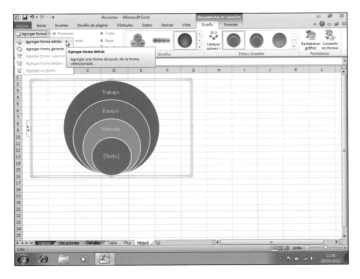

Aplicar un estilo a un gráfico SmartArt

Si necesita aplicar un estilo a su SmartArt, siga los pasos que se enumeran a continuación:

1. En primer lugar, seleccione el gráfico que desea modificar.

2. En la ficha Diseño de la Cinta de Opciones, en el grupo Estilos SmartArt, seleccione el estilo que desea aplicar. Puede ver todos los estilos haciendo clic sobre el botón **Más**.

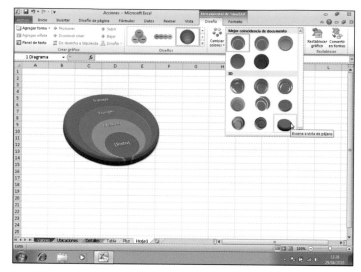

Insertar formas

Mediante estos tres sencillos pasos, podrá insertar en sus hojas de cálculo todas las formas que desee:

1. Abra la hoja de cálculo donde desea insertar la forma.

2. En la ficha Insertar de la Cinta de Opciones, en el grupo Ilustraciones, haga clic sobre el botón **Formas**.

3. En la lista de formas disponibles, haga clic sobre la forma que desea añadir.

4. A continuación, en la hoja de cálculo, haga clic y arrastre el cursor del ratón para añadir la forma seleccionada con el tamaño deseado.

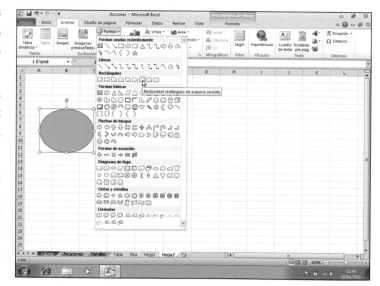

Girar una forma

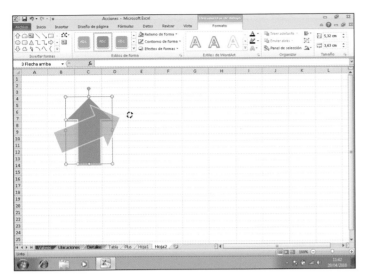

Una vez insertada una forma, puede que necesite girarla. En ese caso, siga estas instrucciones:

1. Haga clic sobre la forma que desea girar para seleccionarla.

2. A continuación, coloque el cursor del ratón sobre el controlador de rotación, un pequeño círculo verde, y arrastre hasta conseguir la posición deseada.

Organizar las formas

Cuando añadimos formas, en caso de que se solapen, las últimas formas añadidas quedarán por encima de las más antiguas. Para cambiarlo:

1. Seleccione la forma que desea colocar detrás de otra.

2. En la ficha Diseño de página de la Cinta de Opciones, en el grupo Organizar, haga clic sobre la flecha desplegable del botón **Enviar al fondo**. También tiene las opciones para organizar las formas en la ficha Formato.

3. Seleccione la opción Enviar al fondo si quiere que la figura se coloque la última en el orden de figuras, o seleccione la opción Enviar atrás si quiere hacer retroceder la figura una posición respecto a su posición actual.

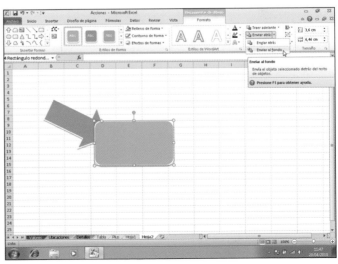

Las opciones Traer al frente y Traer adelante son similares a las anteriores, si bien actúan acercando los elementos hacía un primer plano.

Capítulo 6
Gráficos

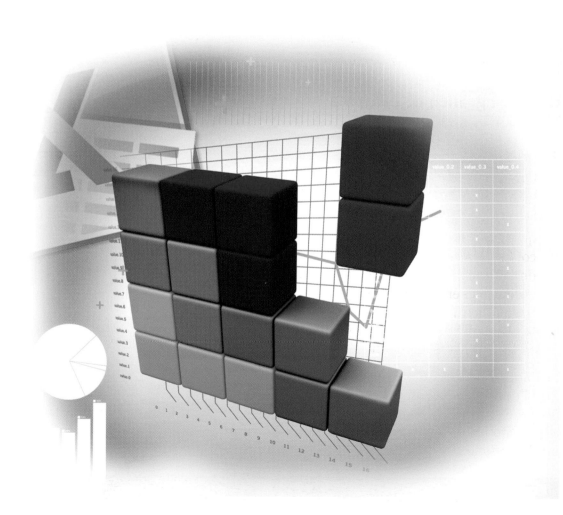

Crear un gráfico circular

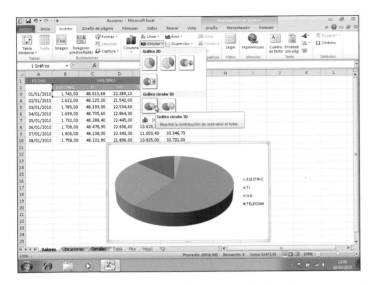

1. Abra la hoja de cálculo con los datos que quiere utilizar para crear el gráfico.

2. Seleccione los datos que quiere mostrar en el gráfico. Un gráfico circular suele utilizarse para representar datos de una fila o columna, siempre y cuando el número de elementos a representar no sea muy alto o, de lo contrario el gráfico perdería su efectividad.

3. En la ficha Insertar de la Cinta de Opciones, en el grupo Gráficos, haga clic sobre la opción Circular.

4. Seleccione el tipo de gráfico circular que desea crear.

Crear un gráfico de columna

1. Abra la hoja de cálculo que contiene los datos que quiere utilizar para crear el gráfico.

2. Seleccione los datos que quiere mostrar en el gráfico. Este tipo de gráficos es de gran utilidad para ver evoluciones en el tiempo, al mismo tiempo que permite comparar de una forma rápida valores. Se suele utilizar con series de datos organizadas en columnas.

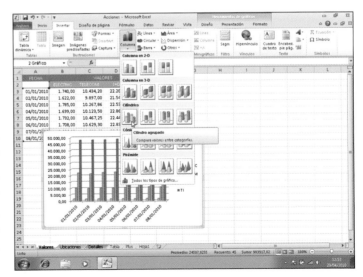

3. En la ficha Insertar de la Cinta de Opciones, en el grupo Gráficos, haga clic sobre la opción Columna.

4. Seleccione el tipo de gráfico en columna que desea crear.

Cambiar el tipo de gráfico

Puede cambiar el tipo de gráfico de una forma muy sencilla:

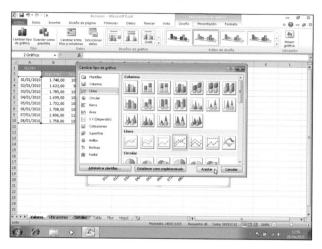

1. Seleccione el gráfico que desea cambiar.

2. En la ficha Diseño de la Cinta de Opciones, en el grupo Tipo, haga clic sobre el botón **Cambiar tipo de gráfico**.

3. En el cuadro de diálogo Cambiar tipo de gráfico, elija el tipo de gráfico que quiere utilizar.

4. Haga clic sobre **Aceptar**.

Cambiar el rango de datos representado

Una vez que hemos creado el gráfico, si hacemos clic sobre él para seleccionarlo, en la hoja de cálculo aparece una indicación que nos muestra los datos que han sido representados en el gráfico. Para cambiar este rango de datos sin tener que repetir el gráfico:

1. Seleccione el gráfico que quiere modificar.

2. En la ficha Diseño, en el grupo Datos, haga clic sobre el botón **Seleccionar datos**. Se abrirá el cuadro de diálogo Seleccionar origen de datos.

3. Utilizando el ratón sobre la hoja de cálculo, vuelva a seleccionar el rango de datos que quiere representar en el gráfico. El gráfico reflejará los resultados de la elección de manera automática. Puede volver a seleccionar otro rango si el que acaba de seleccionar no resulta el adecuado.

4. Finalmente, cuando haya seleccionado los datos apropiados, haga clic sobre el botón **Aceptar** del cuadro de diálogo Seleccionar origen de datos.

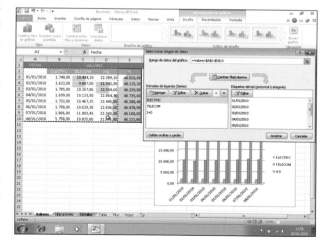

Métodos abreviados de teclado para crear gráficos

Excel puede crear los gráficos de dos maneras:

- **Incrustados:** Los gráficos se muestran como una ventana flotante sobre la hoja de cálculo.

- **Hojas de gráfico:** El gráfico se incluye en una hoja de cálculo independiente, sin que en la hoja haya más elementos o datos.

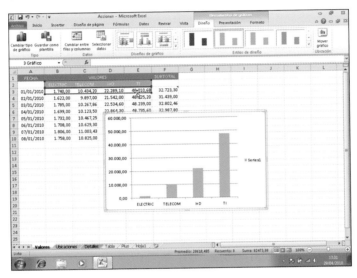

Para crear un gráfico incrustado desde el teclado, los pasos son:

1. Seleccione los datos que quiere representar. El tipo de gráfico utilizado será el establecido como predeterminado.

2. Pulse **Alt-F1**. El gráfico aparecerá sobre la hoja de cálculo.

Los pasos para crear una hoja de gráfico son:

1. Seleccione los datos que quiere representar.

2. Pulse **F11**.

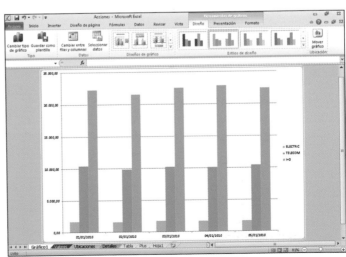

Establecer un tipo de gráfico como predeterminado

1. En la ficha Insertar de la Cinta de Opciones, haga clic sobre el indicador del cuadro de diálogo (🔲) del grupo Gráficos. Se abrirá el cuadro de diálogo Insertar gráfico.

2. En este cuadro de diálogo, seleccione el tipo de gráfico que quiere establecer como predeterminado. Tenga presente que hay determinado tipo de gráficos que no se pueden utilizar para representar cualquier información, por ejemplo, los gráficos circulares.

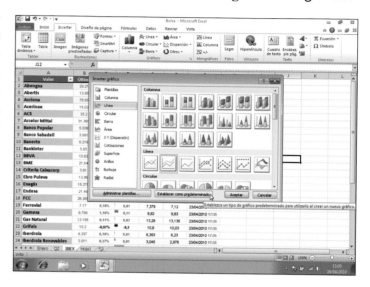

3. Haga clic sobre el botón **Establecer como predeterminado**.

4. Finalmente, cierre el cuadro de diálogo.

Cambiar entre filas y columnas

Excel nos da la facilidad de cambiar entre filas y columnas. A continuación veremos una forma rápida de ver una perspectiva distinta de los mismos datos es representarlos alterando su forma de colocación en los ejes.

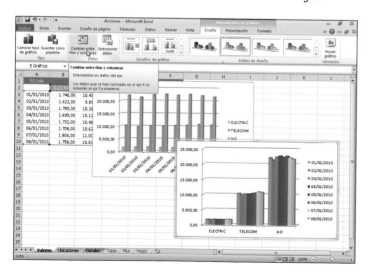

1. Seleccione el gráfico que desea modificar.

2. En la ficha Diseño de la Cinta de Opciones, en el grupo Datos, haga clic sobre el botón **Cambiar entre filas y columnas**.

Guardar un gráfico como plantilla

Esta posibilidad es de gran utilidad si suele utilizarse un determinado estilo personalizado de gráfico. Guardándolo como plantilla, podrá utilizarse en otras ocasiones para crear gráficos en ese estilo, sin necesidad de repetir todas las modificaciones de nuevo.

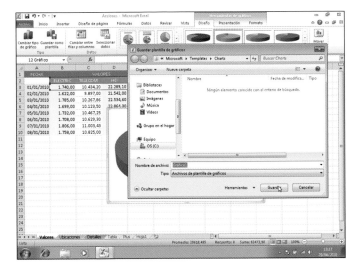

1. Seleccionar el gráfico que se desea guardar como plantilla.
2. En la ficha Diseño de la Cinta de Opciones, en el grupo Tipo, haga clic sobre el botón **Guardar como plantilla**.
3. En el cuadro de diálogo Guardar como plantilla, especifique un nombre de archivo y una ubicación para guardar la plantilla y haga clic sobre **Guardar**.

Crear un nuevo gráfico con el estilo de una plantilla

Es posible crear un nuevo gráfico modificando el estilo de una plantilla:

1. Seleccione los datos que desea representar.
2. En la ficha Insertar de la Cinta de Opciones, haga clic sobre el indicador de cuadro de diálogo (⊡) del grupo Gráficos.
3. En la parte izquierda del cuadro de diálogo Insertar gráfico, haga clic sobre la opción Plantillas, y seleccione después la plantilla que desea utilizar para crear su gráfico.
4. Finalmente, haga clic sobre el botón **Aceptar** para crear el gráfico.

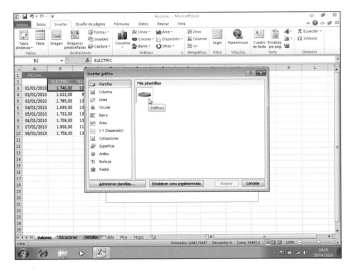

Eliminar un gráfico

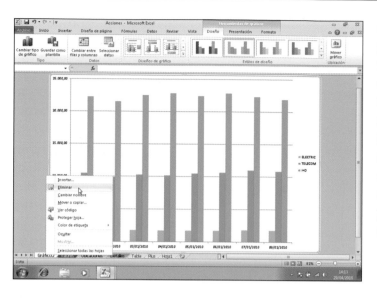

Cuando desee eliminar un gráfico incrustado no hará falta buscar ninguna referencia en la Cinta de Opciones, tan sólo tendrá que seleccionarlo y pulsar la tecla **Supr**. Si bien lo que desea eliminar se trata de una hoja de gráfico se puede utilizar el mismo sistema anterior, también se puede eliminar la hoja entera en la que está incluido.

Imprimir un gráfico

Un gráfico incrustado se puede imprimir junto con la hoja de cálculo en la que se encuentra, o por separado. Para imprimir el gráfico junto con la información de la hoja de cálculo, tal y como estén dispuestos en la pantalla, seleccione una zona de la hoja de cálculo, pero no el gráfico, y realice la impresión. Tenga en cuenta que el gráfico es una ventana flotante y puede estar situada sobre datos que quedarán ocultos en la impresión.

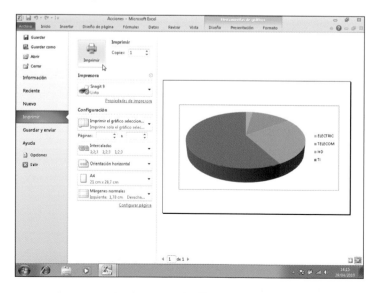

Para imprimir únicamente el gráfico, selecciónelo, seguidamente, realice la impresión del mismo de la manera que lo suele hacer habitualmente con cualquier otro documento. Puede realizar una vista preliminar de la impresión para ver el aspecto final que tendrá el gráfico. Para ello, simplemente haga clic sobre la ficha Archivo y seleccione la opción Imprimir.

Añadir un título al gráfico

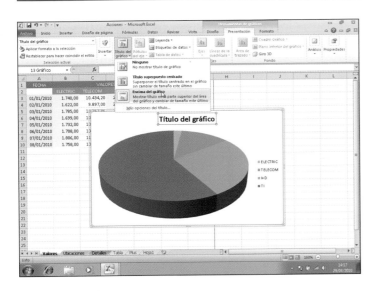

1. Seleccione el gráfico que quiere modificar.
2. En la ficha Presentación, en el grupo Etiquetas, haga clic sobre el botón **Título del gráfico**.
3. Seleccione una de las opciones disponibles para añadir un título al gráfico.
4. A continuación, haga clic sobre el cuadro de texto Título del gráfico que se ha añadido, y escriba el título correspondiente.

Nota: La opción Más opciones del título, existente en el menú desplegable del botón **Título del gráfico,** permite acceder a un cuadro de diálogo dedicado al formato del título del gráfico.

Añadir etiquetas de datos

Añadir etiquetas de datos resultará útil para acompañar a nuestras presentaciones:

1. Seleccione el gráfico que desea modificar.
2. En la ficha Presentación de la Cinta de Opciones, en el grupo Etiquetas, haga clic sobre el botón **Etiquetas de datos**.
3. Seleccione una de las opciones disponibles para añadir la información de los datos al gráfico. Las etiquetas de los datos representados en el gráfico aparecerán sobre el mismo.

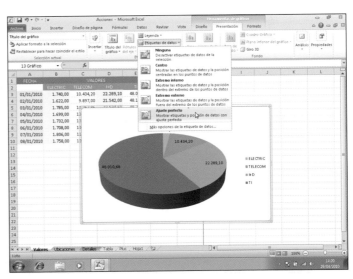

Añadir una leyenda

Además de las etiquetas podrá añadir una leyenda a sus gráficos. Veamos como:

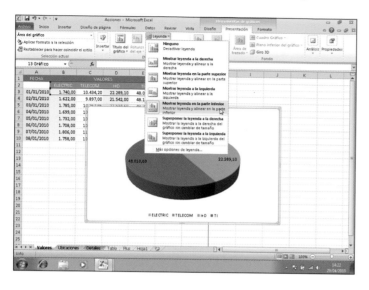

1. Seleccione el gráfico que desea modificar.

2. En la ficha Presentación de la Cinta de Opciones, en el grupo Etiquetas, haga clic sobre el botón **Leyenda**.

3. Seleccione una de las opciones disponibles para añadir la leyenda de los datos al gráfico. Si el gráfico ya mostraba la leyenda, con estas opciones podrá cambiar el emplazamiento de la misma o, incluso, quitarla del gráfico.

Añadir un título para los ejes

Para añadir un título a los ejes de sus gráficos de barras:

1. Seleccione el gráfico que desea modificar.

2. En la ficha Presentación de la Cinta de Opciones, en el grupo Etiquetas, haga clic sobre el botón Rótulos del eje.

3. Seleccione la opción Título bajo el eje para el eje horizontal, y una de las opciones disponibles para añadir el título del eje vertical. Aparecerán dos cuadros de texto con el texto Título del eje junto a los ejes del gráfico.

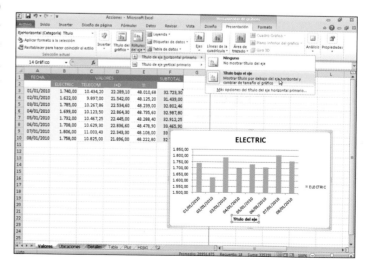

4. Añada el texto correspondiente a las etiquetas de los ejes haciendo doble clic sobre ellas y escribiendo a continuación el texto.

Mostrar la tabla de datos

Si lo desea puede acompañar sus gráficos de barras con la tabla de datos que usó para generarlos:

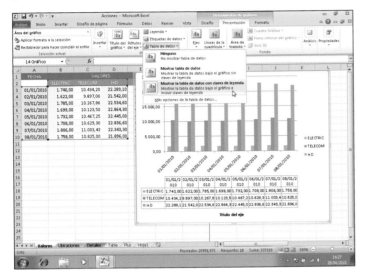

1. Seleccione el gráfico que desea modificar.

2. En la ficha Presentación de la Cinta de Opciones de Excel, en el grupo Etiquetas, haga clic sobre el botón **Tabla de datos**.

3. Seleccione una de las opciones disponibles para añadir la tabla de datos.

Seleccionar elementos del gráfico con precisión

Algunos gráficos muestran tanta información y tienen tantos elementos que puede resultar difícil seleccionar ciertas partes del gráfico. Existe una forma sencilla de seleccionar de forma rápida y precisa el elemento adecuado en cada caso.

1. Seleccione el gráfico adecuado.

2. En la ficha Presentación de la Cinta de Opciones, en el grupo Selección actual, haga clic sobre la flecha desplegable de la lista Elementos del gráfico.

3. Elija en la lista la zona determinada del gráfico que desea seleccionar. La zona elegida mostrará un marco de selección en el gráfico.

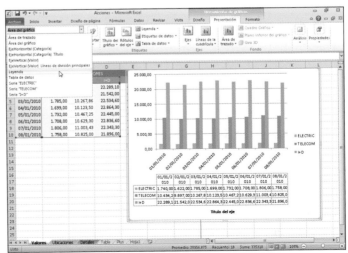

Configuración de los ejes

Utilizando el botón **Ejes,** del grupo Ejes de la ficha Presentación, en la Cinta de Opciones, es posible realizar lo siguiente:

- **Eje horizontal primario:** Mostrar u ocultar el eje, mostrarlo con o sin etiquetas, con orientación de izquierda a derecha o de derecha a izquierda.

- **Eje vertical primario:** Mostrar u ocultar el eje, mostrar el eje con los valores enteros, con los valores en millares, en millones, en miles de millones o en escala logarítmica.

- **Más opciones de los ejes:** Especificar los valores máximo y mínimo del eje, indicar las unidades en la que se divide el eje (días, meses, años), el tipo de dato mostrado en el eje (fecha, número, etc.), el formato utilizado para el tipo de dato (fecha larga, número de decimales, etc.), el color de la línea del eje, el grosor y tipo de la línea, añadir efectos de sombra, la alineación y ángulo del texto de las etiquetas.

Aplicar estilos al gráfico

Excel le ofrece una forma de aplicar estilos a sus gráficos:

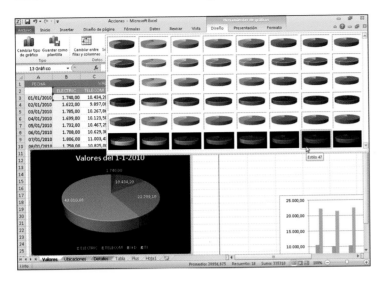

1. Seleccione el gráfico que desea modificar.

2. En la ficha Diseño en el grupo Estilos de diseño, seleccione el estilo que desea aplicar al gráfico seleccionado. Dispone de botones de desplazamiento y un botón **Más** para poder ver todas las opciones de estilo que hay disponibles.

Aplicar formatos individuales a los elementos del gráfico

Para aplicar formatos individuales a los elementos del gráfico:

1. Seleccione el gráfico que desea modificar.

2. En la ficha Formato de la Cinta de Opciones, en el grupo Selección actual, utilice la lista Elementos del gráfico para seleccionar el elemento del gráfico cuyo formato desea modificar.

3. A continuación, haga clic sobre el botón **Aplicar formato a la selección**, también del grupo Selección actual. Se abrirá un cuadro de diálogo donde podrá modificar el formato actual del elemento seleccionado.

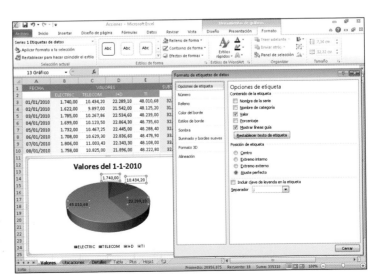

Modificar el tamaño del gráfico y de sus elementos

La forma de cambiar el tamaño del gráfico es la misma que se utiliza para cambiar el tamaño de casi todos los elementos de Excel, incluidos los propios elementos del gráfico.

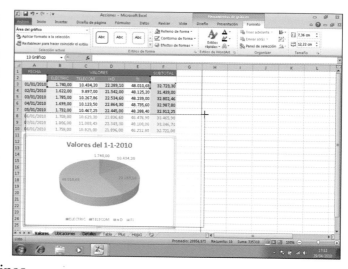

1. Seleccione el gráfico o el elemento del gráfico cuyo tamaño desee modificar. Al seleccionar el gráfico o el elemento, aparece un marco de selección alrededor del objeto, el cual presenta controladores de tamaño en sus esquinas.

2. Coloque el cursor del ratón sobre uno de estos controladores de tamaño, haga clic y arrastre hasta alcanzar el tamaño deseado para el objeto.

Nota: Otra forma de especificar el tamaño del gráfico es utilizando las opciones del grupo Tamaño de la ficha Formato.

Mover el gráfico y sus elementos en la hoja de cálculo

Para mover el gráfico dentro de la hoja de cálculo, simplemente tiene que seleccionarlo, colocar el cursor del ratón sobre una zona vacía del gráfico, hacer clic y arrastrar el gráfico hasta el lugar deseado.

Para mover un elemento dentro del área del gráfico se utiliza la misma técnica. Primero, se selecciona el elemento y, a continuación, se arrastra hasta el lugar apropiado.

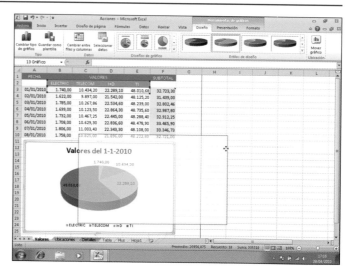

Configurar el gráfico como no imprimible

1. En la hoja de datos en la que se encuentra el gráfico, haga clic sobre el marco de selección del mismo para seleccionarlo.

2. A continuación, en la ficha Formato de la Cinta de Opciones, haga clic sobre el indicador de cuadro de diálogo del grupo Tamaño. Se abrirá un cuadro de diálogo Formato del área del gráfico.

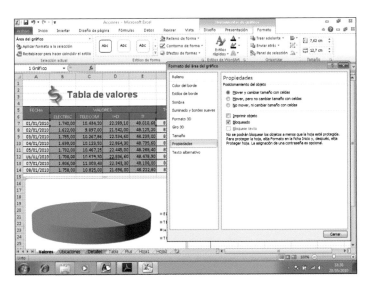

3. Seguidamente, en la parte izquierda del cuadro de diálogo, haga clic sobre la opción Propiedades.

4. Para finalizar, desactive la opción Imprimir objeto y haga clic sobre el botón **Cerrar**.

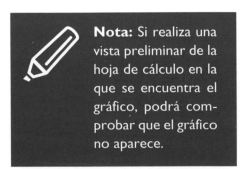

Nota: Si realiza una vista preliminar de la hoja de cálculo en la que se encuentra el gráfico, podrá comprobar que el gráfico no aparece.

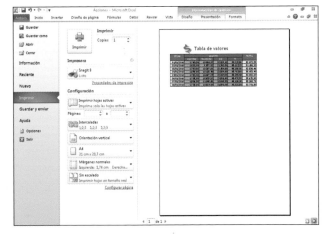

Capítulo 7
Funciones

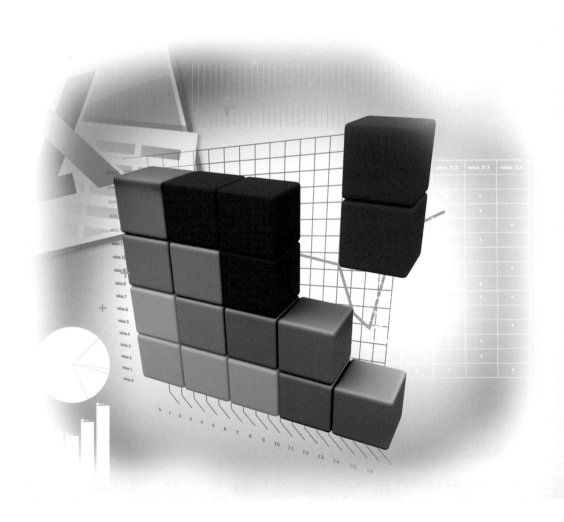

Qué es una función

Las funciones son elementos que nos permiten realizar cálculos específicos y predefinidos con los datos de nuestras hojas de cálculo. Estos cálculos van desde una simple suma hasta complejos cálculos financieros o de ingeniería. Existen los siguientes tipos de funciones: de compatibilidad, de cubo, de base de datos, de fecha y hora, de ingeniería, financieras, de información, lógicas, de búsqueda y referencia, matemáticas y trigonométricas, estadísticas y de texto. A estas hay que añadirle las creadas por los usuarios.

Las funciones no dejan de ser un cálculo y, por lo tanto, parte de una fórmula. Las fórmulas que utilizan funciones tienen la misma estructura básica:

=FUNCIÓN(argumento_1;argumento_2;argumento_n)

Los argumentos son elementos que proporcionan información a la función. Existen funciones que necesitan argumentos de manera obligada y otras que, o no los necesitan, o bien su uso es opcional. En cualquier caso, los paréntesis se escriben siempre, aunque la función no requiera argumentos.

Excel dispone de más de 200 funciones aunque, por lo general, sólo se utiliza una pequeña parte. Si tuviese dudas sobre la utilización de alguna en particular, le recomendamos que se dirija a la Ayuda del programa, donde encontrará información sobre todas las funciones incluidas en Excel 2010.

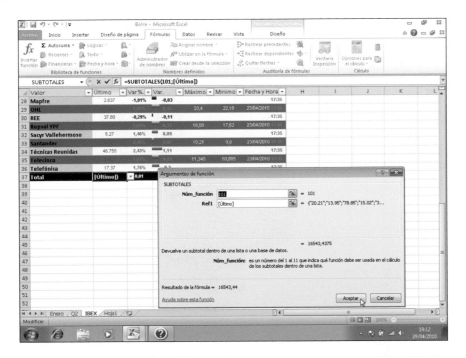

Crear una función con Autosuma

La herramienta Autosuma proporciona una forma rápida de realizar ciertos cálculos, como sumas o promedios.

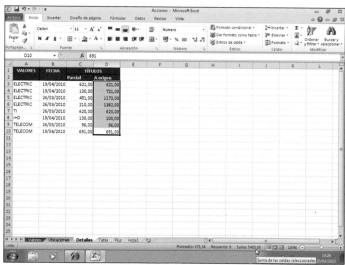

1. Active la celda donde desea mostrar el resultado del cálculo.

2. En la ficha Fórmulas de la Cinta de Opciones, en el grupo Biblioteca de funciones, haga clic sobre la flecha desplegable de la opción Autosuma.

3. Elija una de las opciones disponibles en la herramienta Autosuma, por ejemplo: Suma.

4. La fórmula aparece en la celda seleccionada, y el rango utilizado aparece resaltado. Si es necesario, modifique el rango seleccionado. Cuando el rango seleccionado sea el correcto, pulse **Intro**.

Cálculo automático

¿Cuál es la suma total de los valores, su promedio o el número total de elementos listados? Si necesitamos saber el dato pero no guardarlo en una celda de la hoja de cálculo, existe una forma de hacerlo:

1. Seleccione la columna, la fila o el rango de valores de la fila o de la columna sobre los que está interesado.

2. Mire en la Barra de estado de Excel, en la parte inferior de la ventana. Aparecerá información como, por ejemplo, la suma total de los valores, su promedio o el recuento de elementos seleccionados.

Utilizar el cuadro de diálogo Insertar función

Como ejemplo, vamos a calcular el promedio de los valores de una columna:

1. Seleccione la celda debajo de la lista de valores cuyo promedio quiere calcular.

2. En la ficha Fórmulas de la Cinta de Opciones, en el grupo Biblioteca de funciones, haga clic sobre el botón **Insertar función**.

3. En el cuadro Insertar función, seleccione la categoría Estadísticas, ya que la función que buscamos pertenece a esta categoría. Si no supiese la categoría a la que pertenece la función que desea utilizar, puede seleccionar la opción Todas, o utilizar la sección Buscar una función.

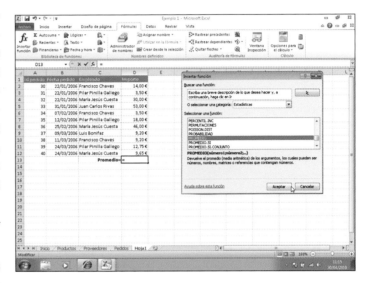

4. Seleccione PROMEDIO y haga clic sobre **Aceptar**.

5. En el cuadro Argumentos de función, aparecerá seleccionado el rango de valores de la columna, situado encima de la celda seleccionada. Si quisiese utilizar otros valores u otro rango, selecciónelo en la opción Número 1. Haga clic sobre **Aceptar**.

El valor promedio aparece en la celda seleccionada y la fórmula utilizada en la Barra de fórmulas.

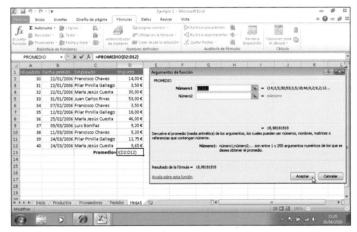

 Nota: El cuadro de diálogo Argumentos de función variará según la función que se esté insertando.

Escribir directamente la función

Excel incluye una herramienta que facilita la tarea de escribir las fórmulas y minimiza la posibilidad de introducir errores. Esta herramienta es Fórmula Autocompletar. A medida que vamos escribiendo la fórmula, nos proporciona propuestas que concuerden con lo que estamos escribiendo en cada momento. Para ver cómo funciona, vamos a calcular el valor máximo de una columna de valores.

1. Active la celda situada debajo del último valor de la columna.
2. Escriba un signo igual "(=)" y, a continuación, una "M". De forma automática, Excel nos propone una lista de funciones que comiencen por la letra "M".
3. Utilice las teclas de cursor para desplazarse por la lista hasta seleccionar la función MAX y, a continuación pulse la tecla **Tab**. Excel inserta la función seleccionada en la celda e incluye el primer paréntesis.

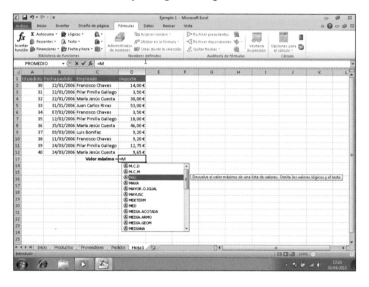

4. Seleccione el rango de valores de la columna. Puede hacerlo con el ratón, haciendo clic y arrastrando, o con el teclado, con las teclas de cursor mientras mantiene pulsada la tecla **Mayús**.
5. Una vez introducido el rango, pulse la tecla **Tab**. Excel cierra el paréntesis, por lo que finaliza la fórmula, y muestra el valor máximo del rango seleccionado en la celda.

Nuevas funciones de Excel 2010

Las nuevas funciones incluidas en Excel 2010 son:

- **AGREGAR:** Devuelve un agregado en una lista o en una base de datos.
- **COVARIANCE.P:** Devuelve la covarianza, es decir, el promedio de los productos de las desviaciones para cada pareja de puntos de datos.
- **CONVARIANZA.M:** Devuelve la covarianza de ejemplo, es decir, el promedio de los productos de las desviaciones para cada pareja de datos en dos conjuntos de datos.
- **CUARTIL.EXC:** Devuelve el cuartil del conjunto de datos, basado en los valores percentiles de 0...1, exclusivo.
- **CUARTIL.INC:** Devuelve el cuartil de un conjunto de datos.

- **DESVEST.M:** Calcula la desviación estándar a partir de una muestra.
- **DESVEST.P:** Calcula la desviación estándar en función de toda la población.
- **DIA.LAB.INTL:** Devuelve el número de la fecha anterior o posterior a un número especificado de días laborales, mediante parámetros para indicar cuáles y cuántos días son de fin de semana.
- **DIAS.LAB.INT:** Devuelve el número de todos los días laborables existentes entre dos fechas, por medio de parámetros para indicar cuáles y cuántos son días de fin de semana.
- **DISTR.BETA.INV:** Devuelve la función inversa de la función de distribución acumulativa de una distribución beta especificada.
- **DISTR.CHICUAD:** Devuelve la función estadística de densidad de probabilidad beta acumulativa.
- **DISTR.CHICUAD.CD:** Devuelve la probabilidad de una variable aleatoria continua, según una distribución chi cuadrado de una sola cola.
- **DISTR.EXP.N:** Devuelve la distribución exponencial.
- **DISTR.F.CD:** Devuelve la distribución de probabilidad.
- **DISTR.HIPERGEOM.N:** Devuelve la distribución hipergeométrica.
- **DISTR.LOGNORM:** Devuelve la distribución logarítmico-normal acumulativa.
- **DISTR.POISSON:** Devuelve la distribución de Poisson.
- **DISTR.T.2C:** Devuelve los puntos porcentuales (probabilidad) de la distribución t de Student.
- **DISTR.T.CD:** Devuelve la distribución t de Student.
- **DISTR.T.INV:** Devuelve la función inversa de la distribución t de Student.
- **DISTR.WEIBULL:** Devuelve la distribución de Weibull.
- **FUN.ERROR.COMPL.EXACTO:** Devuelve la función FUN.ERROR complementaria entre x e ∞.
- **FUN.ERROR.EXACTO:** Devuelve la función error.
- **GAMMA.LN.EXACTO:** Devuelve el logaritmo natural de la función gamma.
- **INTERVALO.CONFIANZA.NORM:** Devuelve el intervalo de confianza de la media de una población.
- **INTERVALO.CONFIANZA.T:** Devuelve el intervalo de confianza de la media de una población, según una distribución t de Student.
- **INV.BINOM:** Devuelve el menor valor cuya distribución binomial acumulativa es menor o igual a un valor de criterio.
- **INV.CHICUAD:** Devuelve la función estadística de densidad de probabilidad beta acumulativa.
- **INV.CHICUAD.CD:** Devuelve la función inversa de probabilidad de una variable continua en base a una distribución chi cuadrado de una sola cola.

- **INV.F:** Devuelve la función inversa de la distribución de probabilidad F.
- **INV.F.CD:** Devuelve la función inversa de la distribución de probabilidad F.
- **INV.GAMMA:** Devuelve la función inversa de la distribución gamma acumulativa.
- **INV.LOGNORM:** Devuelve la función inversa de la distribución logarítmico-normal acumulativa.
- **INV.NORM:** Devuelve la función inversa de la distribución normal acumulativa.
- **INV.NORM.ESTAND:** Devuelve la función inversa de la distribución normal estándar acumulativa.
- **INV.T:** Devuelve el valor t de la distribución t de Student en función de la probabilidad y los grados de libertad.
- **INV.T.2C:** Devuelve la función inversa de la distribución t de Student.
- **JERARQUIA.EQV:** Devuelve la jerarquía de un número en una lista de números.
- **JERARQUIA.MEDIA:** Devuelve la jerarquía de un número en una lista determinada de números.
- **MODA.UNO:** Devuelve el valor más común de un conjunto de datos.
- **MODA.VARIOS:** Devuelve una matriz vertical de los valores repetidos con más frecuencia en una matriz o rango de datos.
- **MULTIPLO.INFERIOR.EXACTO:** Redondea un número hacia el entero o el múltiplo significativo más próximo. El número se redondea hacia arriba, sin importar su signo.
- **MULTIPLO.SUPERIOR.EXACTO:** Redondea un número hacia el entero o el múltiplo significativo más próximo. El número se redondea hacia arriba, sin importar su signo.
- **NEGBINOM.DIST:** Devuelve la distribución binomial negativa.
- **PERCENTIL.EXC:** Devuelve el k-ésimo percentil de los valores de un rango, donde k está en el rango 0..1, exclusivo.
- **PERCENTIL.INC:** Devuelve el k-ésimo percentil de los valores de un rango.
- **PRUEBA.CHICUAD:** Devuelve la prueba de independencia.
- **RANGO.PERCENTIL.EXC:** Devuelve el rango de un valor en un conjunto de datos como porcentaje (0..1, exclusivo) del conjunto de datos.
- **RANGO.PERCENTIL.INC:** Devuelve el rango porcentual de un valor de un conjunto de datos.
- **VAR.P:** Calcula la varianza en función de toda la población.
- **VAR.S:** Calcula la varianza en función de una muestra.

Nota: Si utiliza alguna de estas funciones, recuerde que no tendrá compatibilidad con versiones anteriores de Excel.

DB

Calcula la depreciación de un producto mediante el método de depreciación de saldo fijo durante un periodo específico.

1. Haga clic sobre la celda donde desea introducir la fórmula.

2. Escriba la función "=DB(Costo;Valor_residual;Vida;Periódo;Mes)", donde:

   - **Costo:** Valor inicial del producto. Por ejemplo: 30.000 €.

   - **Valor_residual:** Valor residual que tiene el producto al transcurrir el tiempo de vida útil del producto. Por ejemplo: 15.800 €.

   - **Vida:** Vida útil del producto desde su adquisición. Por ejemplo, 10 años.

   - **Período:** Período para el que se desea calcular la depreciación. Por ejemplo: 1 año, el 1er año.

   - **Mes:** Número de meses del primer año. Por ejemplo: 12 meses; es decir, se adquirió en enero.

3. El resultado es el valor de la depreciación del objeto en el primer año. Repita el proceso para calcular la depreciación durante el resto de años de vida del producto, pero especificando el período correcto en cada caso.

PAGO

Calcula la cuota periódica a pagar por un préstamo.

1. Haga clic sobre la celda donde desea introducir la fórmula.

2. Escriba la función "=PAGO(Tasa;Nper;Va;Vf;Tipo)", donde:

   - **Tasa:** Interés por período de tiempo. Por ejemplo: 5%/12 mensualidades.

   - **Nper:** Número total de pagos del préstamo. Por ejemplo: 5 años × 12 mensualidades al año.

   - **Va:** El principal del préstamo. Por ejemplo: 30.000 €.

   - **Vf:** Representa el valor final que se desea lograr después del último pago. Normalmente es 0.

   - **Tipo:** Especifica si el pago se realiza al principio o al final del período. Es decir, si el valor es 0 indica que el pago se realiza a mes vencido.

El resultado final será lo que tendrá que pagar cada mes. Será en este caso un valor negativo.

AHORA

Esta función devuelve la fecha y hora actual.

1. Haga clic sobre la celda donde desea introducir la fórmula.
2. Escriba la función "=AHORA" y pulse Intro, ya que la función no requiere argumentos. En la celda aparecerán la fecha y hora actuales.

HOY

Devuelve la fecha actual.

1. Haga clic sobre la celda donde desea introducir la fórmula.
2. Escriba la función "=HOY". Esta función no requiere argumentos.

FECHA

La función devuelve el número de serie correspondiente a una fecha. Excel traduce las fechas a números, para su utilización en cálculos. Para ello, toma el 1 de enero de 1900 como 1, y representa cualquier otra fecha en relación con esta referencia. Esta función nos proporciona el número de serie de una determinada fecha.

1. Haga clic sobre la celda donde desea introducir la fórmula.
2. Escriba la función "=FECHA(Año;Mes;Día)". Por ejemplo: el 15 de agosto de 2010, es el valor 40405.

DIAS.LAB

Devuelve el número de días laborables que hay entre dos fechas.

1. Haga clic sobre la celda donde desea introducir la fórmula.
2. Escriba la función "=DIAS.LAB(Fecha_inicial;Fecha_final;Vacaciones)", donde:
   - **Fecha_inicial:** La fecha inicial. Por ejemplo: 01/08/2010, es 40391.
   - **Fecha_final:** La fecha final. Por ejemplo: 31/08/2010, es 40421.
   - **Vacaciones:** Especifica fechas correspondientes a días festivos para excluirlos de la cuenta de días laborables. En el ejemplo anterior: el día 15/08/2010, cuyo número de serie es 40405. El resultado serían 22 días laborables.

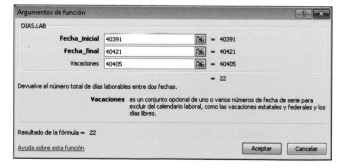

ALEATORIO.ENTRE

Devuelve un número aleatorio entre dos números especificados. En la celda donde desee ver el número aleatorio, escriba "=ALEATORIO.ENTRE(Inferior;Superior)", donde Inferior es el número inferior y Superior el número superior.

COMBINAT

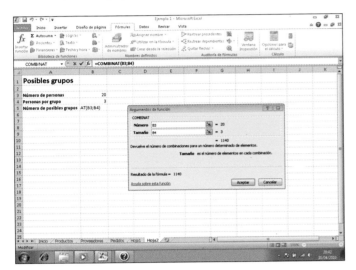

Devuelve el número de combinaciones para un número determinado de elementos.

1. Haga clic sobre la celda donde desea introducir la fórmula.
2. Escriba la función:

   "=COMBINAT(Número;Tamaño)",

   donde:

   - **Número:** Número de elementos candidatos. Por ejemplo: 20.
   - **Tamaño:** Número de elementos en cada combinación. Por ejemplo: 3.

COS

Esta función devuelve el coseno de un ángulo, expresado en radianes. La fórmula sería "=COS(Número)".

SUMAR.SI

Realiza la suma de las celdas que cumplen un determinado criterio.

1. Haga clic sobre la celda donde desea introducir la fórmula.
2. Escriba la función "=SUMAR.SI(Rango;Criterio;Rango_suma)", donde:
   - **Rango:** Rango de celdas que se desea evaluar. Por ejemplo: la columna con las fechas de los pedidos.
   - **Criterio:** La condición que han de cumplir las celdas para poder sumarse. Por ejemplo: todos los pedidos realizados el 24/03/2010.
   - **Rango_suma:** Rango de celdas que se sumarán si cumplen la condición. Por ejemplo: la columna con el importe de los pedidos.

MIN

Devuelve el valor mínimo de un conjunto de datos o de un rango.

1. Haga clic sobre la celda donde desea introducir la fórmula.
2. Escriba la función "=MIN(Rango)".

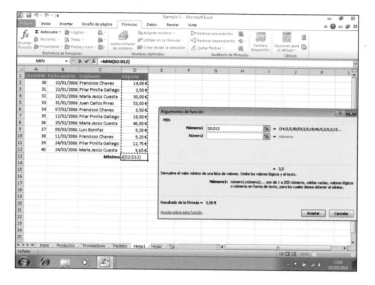

DESVEST

Devuelve la desviación estándar de una muestra.

1. Haga clic sobre la celda donde desea introducir la fórmula.
2. Escriba la función "=DESVEST(Rango)".

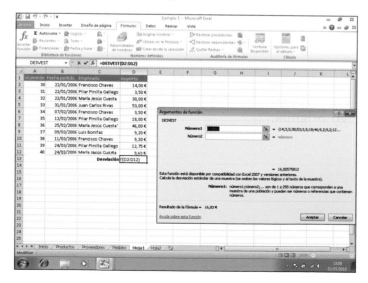

COLUMNAS

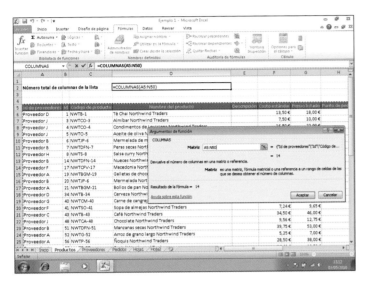

Devuelve el número de columnas de una matriz.

1. Haga clic sobre la celda donde desea introducir la fórmula.

2. Escriba la función "=COLUMNAS(Rango)".

TRANSPONER

Devuelve un rango de celdas vertical como un rango de celdas horizontal, y viceversa.

1. Haga clic sobre la celda donde desea introducir la fórmula.

2. Escriba la función "=TRANSPONER(Matriz)", donde Matriz es el rango que va a transponer. Por ejemplo: el rango es B1:D2.

3. Seleccione la celda donde ha introducido la fórmula. Probablemente, en la celda aparezca ahora un mensaje de error. Esto es debido a que hay que extender la acción de la fórmula a un rango adecuado de celdas.

4. Seleccione un rango de celdas que tenga el mismo número de filas y columnas que el número de columnas y filas del rango original. Por ejemplo: seleccione el rango A4:B6.

5. Pulse F2 para pasar a modo edición.

6. Pulse **Control-Mayús-Intro**. De esta forma se consigue transponer el rango inicial seleccionado.

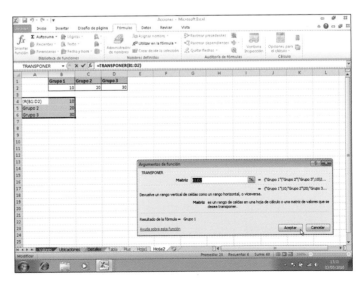

BDSUMA

Suma los valores de la columna de aquellos registros que cumplan un cierto criterio.

1. Haga clic sobre la celda donde desea introducir la fórmula.
2. Escriba "=BDSUMA(Base_de_datos;Nombre_de_campo;Criterios)", donde:
   - **Base_de_datos:** Es el rango de la base de datos. En el ejemplo: A1:F11.
   - **Nombre_de_campo:** El nombre, entre comillas de la columna con los datos a sumar.
   - **Criterios:** Título de columna y condición. En el ejemplo: H4:H5, que son Agencia y AGM Broker.

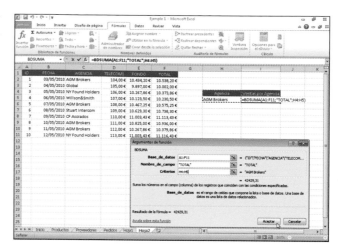

BDCUENTA

Cuenta las celdas que tienen números en la columna de aquellos registros que cumplan un cierto criterio.

1. Haga clic sobre la celda donde desea introducir la fórmula.
2. Escriba "=BDCUENTA(Base_de_datos;Nombre_de_campo;Criterios)":
   - **Base_de_datos:** Rango que forma la base de datos. Por ejemplo: A1:D12.
   - **Nombre_de_campo:** El nombre, entre comillas dobles, de la columna donde están los datos que se van a contar. También se puede utilizar la referencia de su celda.
   - **Criterios:** Rango de celdas de la condición. Compuesto por un título de columna y una condición. En el ejemplo: B16:B17, Empleado y María Jesús Cuesta.

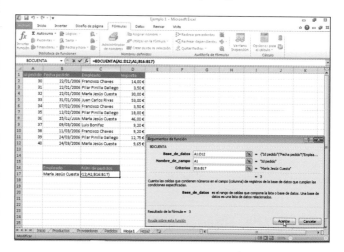

CONCATENAR

Permite unir varios elementos de texto en una única cadena de texto. Para incluir texto no existente en una celda, debe escribirse entre comillas dobles.

1. Haga clic sobre la celda donde desea introducir la fórmula.

2. A continuación escriba la función "=CONCATENAR (Texto1; Texto2;...)". En el siguiente ejemplo, la fórmula es:

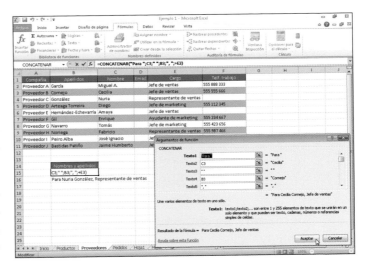

"=CONCATENAR("Para ";C3;" ";B3;", ";E3)",

que da como resultado: Para Cecilia Cornejo, Jefe de ventas.

NOMPROPIO

Devuelve una cadena de texto donde los primeros caracteres de cada palabra estarán en mayúsculas.

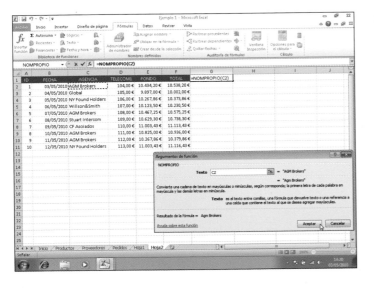

1. Haga clic sobre la celda donde desea introducir la fórmula.

2. Escriba la función "=NOMPROPIO(Texto)".

SI

Si se cumple una condición, devuelve un determinado valor. En caso contrario, lógicamente, devuelve un valor distinto.

1. Haga clic sobre la celda donde desea introducir la fórmula.

2. Escriba " =SI(Prueba_lógica;Valor_si_verdadero;Valor_si_falso), donde:

- **Prueba_lógica:** Especifica la condición. En el siguiente ejemplo: si el valor total es superior a 50.000 €.

- **Valor_si_verdadero:** Valor que devolverá si se cumple el criterio.

- **Valor_si_falso:** Valor que devolverá si no se cumple el criterio.

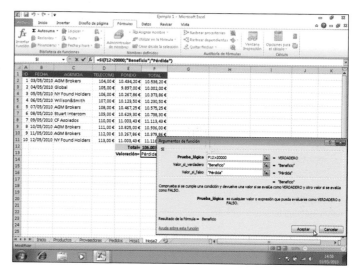

SIERROR

Esta función devolverá valores especificados por el usuario tanto si un error se produce como si no.

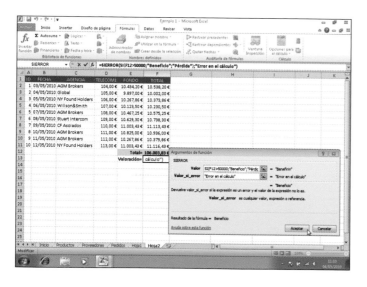

1. Seleccione la celda para introducir la fórmula.

2. Escriba la función "=SIERROR(Valor;Valor_si_error)", donde:

- **Valor:** Valor devuelto si no existe error. En el ejemplo: se ha anidado la función lógica SI, vista en el ejemplo anterior.

- **Valor_si_error:** Valor que devolverá si se produce un error.

Celda

Proporciona información sobre una celda, como el ancho de columna, formato, ubicación, etc.

1. Haga clic sobre la celda donde desea introducir la fórmula.

2. Escriba la función "=CELDA(Tipo_de_info;Ref)", donde:

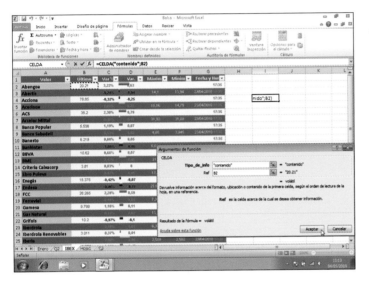

- **Tipo_de_info:** Un valor de texto que indica el tipo de información de la celda mostrada. Por ejemplo: el texto "ancho" muestra la anchura de la celda, y "contenido" muestra el contenido de la celda.

- **Ref:** La celda concreta sobre la que se muestra la información.

INFO

Proporciona información sobre el equipo y el entorno de trabajo.

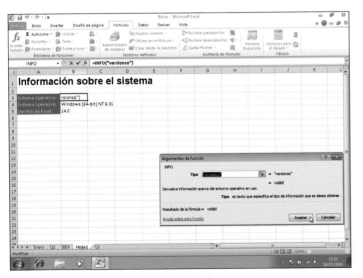

1. Haga clic sobre la celda donde desea introducir la fórmula.

2. Seguidamente, escriba la función "=INFO(Tipo)", donde Tipo es una cadena de texto que indica el tipo de información que se desea conocer del sistema.

DEC.A.HEX

Devuelve el valor hexadecimal de un número decimal.

1. Haga clic sobre la celda donde desea introducir la fórmula.

2. Escriba la función "=DEC. A.HEX(Número;Posiciones)", donde Número es el número decimal y Posiciones es el número de caracteres que se deben utilizar en el número hexadecimal.

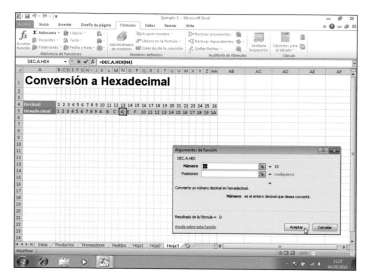

CONVERT

Permite convertir de un sistema de medida a otro.

1. Haga clic sobre la celda donde desea introducir la fórmula.

2. Escriba la función "=CONVERT (Número;Desde_unidad;A_unidad)", donde:

- **Número:** El valor que se va a convertir.

- **Desde_unidad:** Unidad original del dato.

- **A_unidad:** Unidad de medida de conversión del dato.

Es aconsejable que consulte la Ayuda de Excel para ver la nomenclatura utilizada para definir las distintas unidades de medida.

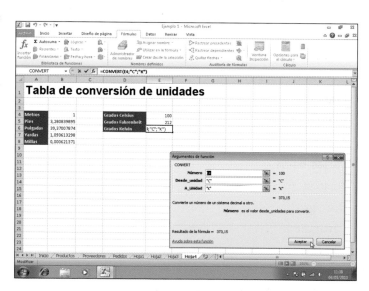

EUROCONVERT

Es una función definida por el usuario, incluida en Excel 2010. Permite realizar conversiones entre monedas de la Zona Euro.

1. Haga clic sobre la celda donde desea introducir la fórmula.

2. Escriba la siguiente función: "=EUROCONVERT(Número;Origen;Destino;Máxima_precisión;Precisión_de_triangulación)", donde:

   - **Número:** Número que se quiere convertir.
   - **Origen:** Código de texto que identifica la moneda original. Por ejemplo: la peseta española es ESP.
   - **Destino:** Código de texto que identifica la moneda conversora.
   - **Máxima_precisión:** "VERDADERO" si se quieren mostrar todos los dígitos decimales significativos. Y "FALSO" si quiere utilizar las reglas de redondeo de cada moneda.
   - **Precisión_de_triangulación:** Número igual o mayor que 3, que indica el número de dígitos decimales significativos del Euro utilizados para calcular una conversión entre monedas de la zona Euro, por medio del Euro como moneda de triangulación.

Código de las monedas de la Zona Euro:

País	Unidad de moneda	Código
Bélgica	franco belga	BEF
Luxemburgo	franco luxemburgués	LUF
Alemania	marco alemán	DEM
España	peseta	ESP
Francia	franco francés	FRF
Irlanda	libra	IEP
Italia	lira	ITL
Países Bajos	florín	NLG
Austria	chelín	ATS
Portugal	escudo	PTE
Finlandia	marco finlandés	FIM
Grecia	dracma	GRD
Eslovenia	tolar	SIT
Estados que han adoptado el euro	euro	EUR

Capítulo 8
Otras herramientas

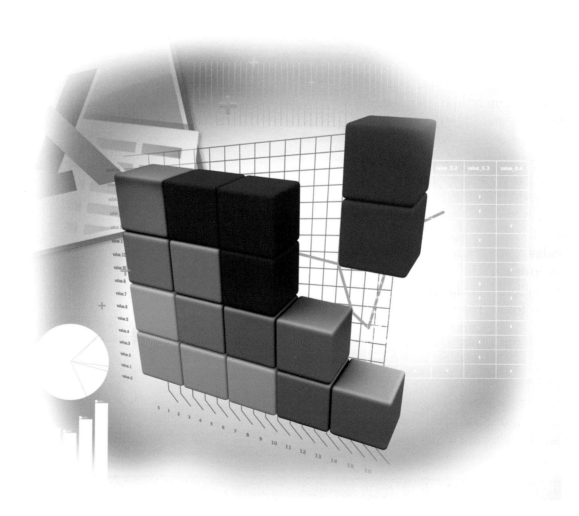

Introducción

Los informes de tabla dinámica son elementos cuya finalidad es presentar los datos de forma resumida y ordenada, y facilitar así las tareas de análisis y presentación de los datos. Además, permiten modificar de forma intuitiva las categorías por las que se resume y agrupa la información, lo que les hace muy útiles para consultar grandes cantidades de datos y presentar totales y subtotales por categorías.

En el ejemplo de la figura, vemos cómo se han resumido los datos para presentar las ventas de cada empleado, junto con la suma total de ventas. Si se modifica ligeramente la tabla dinámica, se pueden mostrar, por ejemplo, las ventas por empleado y fecha, las ventas por fecha, las ventas de un determinado trimestre, las ventas de determinados empleados en el segundo trimestre, etc.

Para poder utilizar informes de tabla dinámica, es necesario que los datos de origen estén en formato tabular, con celdas como encabezados de campo, de forma que cada columna sólo tenga un campo. Tampoco debería haber columnas vacías entre los datos seleccionados para poder crear el informe.

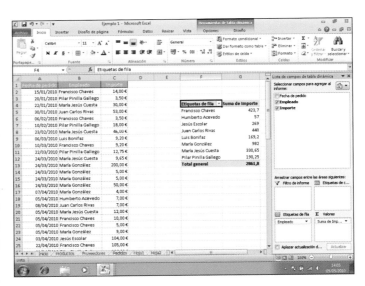

Los gráficos dinámicos son representaciones gráficas de los informes de tabla dinámica, similares a los gráficos normales, pero incluyen algunas opciones similares a las del informe de tabla dinámica, como los filtros o la ordenación, que permiten modificar fácilmente los datos mostrados en el gráfico.

Además, cualquier modificación realizada en el informe de tabla dinámica se verá reflejada de forma inmediata en el gráfico.

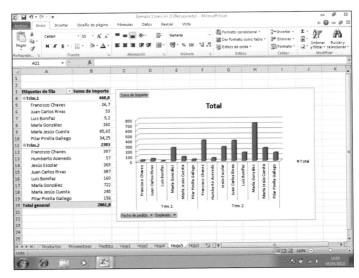

Crear un informe de tabla dinámica

Vamos a crear un informe de tabla dinámica en la misma hoja de cálculo en la que se encuentran los datos que queremos analizar.

1. Abra la hoja que contiene los datos que quiere analizar y seleccione una celda vacía en la que insertar el informe.
2. Seleccione Insertar>Tabla dinámica>Tabla dinámica en la Cinta de Opciones.
3. Active la opción Seleccione una tabla o rango.
4. En Tabla o rango, escriba el nombre de la tabla o seleccione con el ratón el rango que contiene los datos que desea analizar. Si especifica un rango, no olvide incluir los encabezados de columna.
5. Seleccione la opción Hoja de cálculo existente.
6. Haga clic sobre el botón **Aceptar**. En la celda inicial seleccionada, aparecerá un informe vacío y, a la derecha de la ventana, aparecerá la Lista de campos de tabla dinámica.
7. En la parte superior de la Lista de campos de tabla dinámica, seleccione los campos que quiere incluir en el informe. Los datos aparecerán inmediatamente en la tabla dinámica.

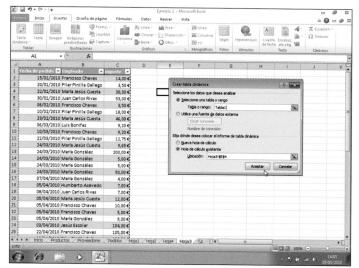

Los campos se añaden de forma automática, de forma que si es un campo con números se añadirá al área Valores y, si es un campo fecha o texto, se añadirá al área Etiquetas de fila. Puede añadir y quitar campos, o reubicarlos en las distintas áreas del informe para ver, al instante, distintas formas de analizar la información.

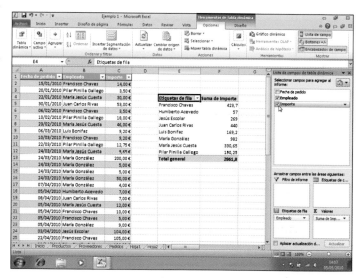

Crear un gráfico dinámico

Hay dos formas de crear un gráfico dinámico, a partir de un informe de tabla dinámica o desde cero. En realidad, cuando se elije crear un gráfico desde cero, Excel crea también una tabla dinámica para el gráfico. Los pasos a seguir para crear un gráfico dinámico desde cero son los siguientes:

1. Abra la hoja que contiene los datos que quiere analizar y selecciónelos.

2. En la ficha Insertar de la Cinta de Opciones, en el grupo Tablas, haga clic sobre el botón **Tabla dinámica**, y a continuación, la opción Gráfico dinámico.

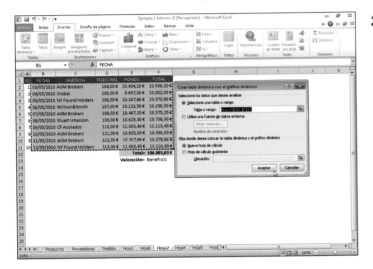

3. En el cuadro Crear tabla dinámica con el gráfico dinámico, active Seleccione una tabla o rango. Como previamente ya ha seleccionado los datos, en el cuadro Tabla o rango aparece el nombre de la tabla o el rango de los datos que quiere analizar. De lo contrario, tendría que especificarlos aquí.

4. En el apartado Elija dónde desea colocar el informe de tabla dinámica, seleccione Nueva hoja de cálculo y haga clic sobre **Aceptar**.

5. En una nueva hoja, aparecerán un informe y un gráfico vacíos y, a la derecha de la ventana, aparecerá la Lista de campos de tabla dinámica. Seleccione los campos que quiere incluir en el informe de tabla dinámica. Los datos aparecerán en el informe y en el gráfico.

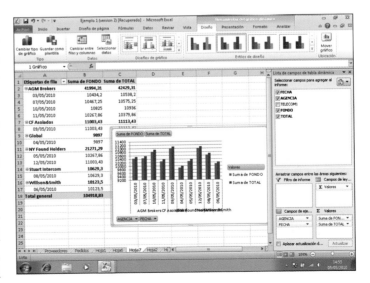

Crear un gráfico dinámico a partir de una tabla dinámica

Los pasos a seguir para crear un gráfico dinámico partiendo de un informe de tabla dinámica ya existente son:

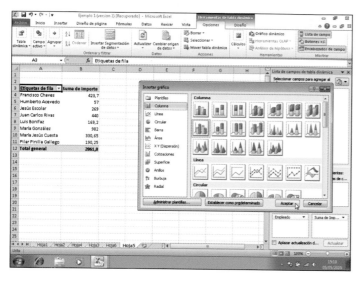

1. Seleccione cualquier parte del informe de tabla dinámica cuyos datos quiere representar en un gráfico.

2. En la ficha Opciones, en el grupo Herramientas, haga clic sobre el botón **Gráfico dinámico**.

3. En el cuadro Insertar gráfico, seleccione el tipo de gráfico que quiere usar, y haga clic sobre **Aceptar**. El gráfico reflejará la información presentada por el informe de tabla dinámica.

Eliminar un informe de tabla dinámica

Para eliminar un informe de tabla dinámica:

1. Haga clic sobre cualquier zona del informe de tabla dinámica.

2. En la ficha Opciones de la Cinta de Opciones, en el grupo Acciones, haga clic sobre **Seleccionar**.

3. A continuación, seleccione la opción Toda la tabla dinámica.

4. Pulse la tecla **Supr**. El informe de tabla dinámica se eliminará.

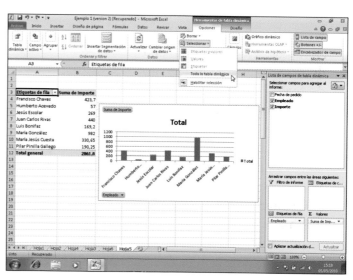

Mover campos entre áreas de la tabla dinámica

Al seleccionar los campos en la Lista de campos de tabla dinámica, se añaden de forma automática al área Etiquetas de fila o Valores, en función del tipo de dato que contengan. Pero es posible mover los campos a otras áreas arrastrándolos desde el área en la que

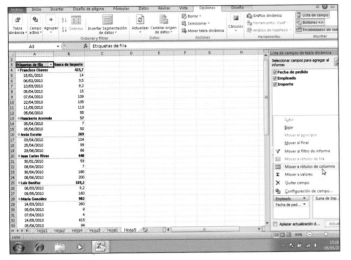

están al área donde se quieren ubicar. Así, se consiguen distintas formas de representar y analizar la misma información.

Otra forma de hacerlo sería, por ejemplo, para mover un campo **Empleados**, del área de Etiquetas de fila al área de Etiquetas de columna, pulsar con el ratón sobre el campo y seleccionar Mover a rótulos de columna. El campo cambiaría de área y el informe de tabla dinámica reflejaría el cambio.

Agrupar un campo de tipo fecha

Una de las opciones más útiles al trabajar con fechas en tablas dinámicas es agruparlas, de forma que se pueda ver la información por días, semanas, meses, trimestres, etc.

1. En la tabla dinámica, seleccione la celda de una fecha.

2. En la ficha Opciones, haga clic sobre el botón **Agrupar** y, después, sobre la opción Agrupar selección.

3. En el cuadro de diálogo Agrupar, seleccione la fecha de inicio y de fin del rango de fechas que quiere representar. Por defecto, aparecen las fechas primera y última, cronológicamente, incluidas en el campo.

4. Seleccione el valor por el que quiere agrupar las fechas. Es posible agruparlas por más de un valor.

5. Haga clic en **Aceptar**.

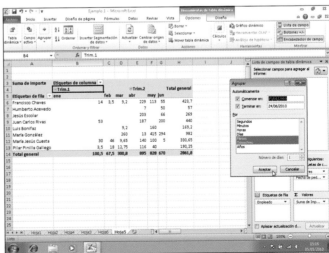

Filtrar los datos de una tabla dinámica

Para filtrar la información, por ejemplo, para ver sólo las ventas de un determinado empleado o trimestre, colocaremos el campo correspondiente en el área Filtro de informe. El campo utilizado aparecerá en la parte superior de la tabla dinámica con el texto **(Todas)** a su derecha. Si queremos utilizar el filtro y ver tan sólo las ventas efectuadas por los empleados en el primer trimestre, los pasos son:

1. Haga clic sobre la flecha desplegable del filtro.

2. Desactive la opción (Todas). Puede que tenga que activar antes la opción Seleccionar varios elementos.

3. Active las correspondientes a los valores que desea mostrar. Siguiendo el ejemplo mencionado: el primer trimestre, y haga clic sobre **Aceptar**.

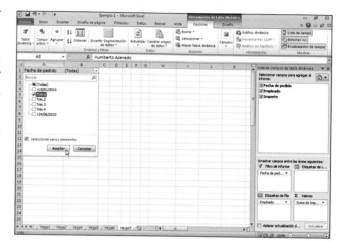

Para quitar el filtro, volveremos a seleccionar la opción (Todas).

Utilizar la Segmentación de datos para filtrar

La segmentación de datos permite filtrar los datos de forma rápida.

1. En la ficha Opciones de la Cinta de Opciones, haga clic sobre Insertar Segmentación de datos y seleccione Insertar Segmentación de datos.

2. A continuación, seleccione el campo o campos que quiere utilizar como filtro, y haga clic sobre **Aceptar**.

3. Aparecen tantos paneles como

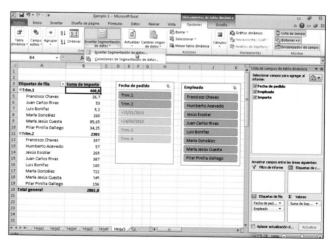

campos elegidos para filtrar, en los que podemos seleccionar los elementos por los que queremos filtrar.

Corrector ortográfico

1. Seleccione el rango de celdas a las que quiere realizar una revisión ortográfica. Si no selecciona ningún rango, la revisión ortográfica se realizará en toda la hoja activa.

2. En la ficha Revisar, en el grupo Revisión, haga clic en el botón **Ortografía**.

3. En el cuadro Ortografía, Excel le mostrará las palabras que no están en su diccionario y que identifica como erróneas. Haga clic sobre **Cambiar** o sobre **Cambiar todas** para sustituir una palabra seleccionada como errónea por la sugerencia seleccionada por Excel. Si no desea realizar el cambio, haga clic sobre

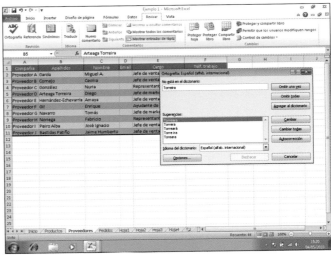

Omitir una vez u **Omitir todas**, si desea omitir la corrección esa o todas las veces. Si la palabra está bien escrita, Excel la interpreta como error porque no la tiene en su diccionario. En este caso, haga clic sobre **Agregar al diccionario**.

Traducir un texto

Para traducir un texto:

1. En la hoja de cálculo, seleccione el texto que desea traducir.

2. En la ficha Revisar de la Cinta de Opciones, en el grupo Revisión, haga clic sobre el botón **Traducir**. Se abrirá el panel Referencia en la parte derecha de la ventana, donde podrá ver el texto traducido al inglés.

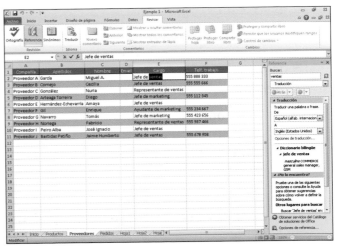

3. Si desea traducir el texto a otro idioma, seleccione el idioma correspondiente en el cuadro de lista desplegable A. Tras un breve instante, aparecerá el texto traducido al idioma seleccionado.

Crear un libro desde una plantilla

Para crear un libro desde una plantilla:

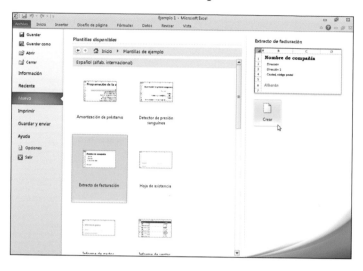

1. Haga clic sobre Archivo para acceder a la Vista Backstage y haga clic sobre **Nuevo**.

2. En la parte central de la ventana, en la sección Plantillas disponibles, aparecerán las distintas plantillas actualmente disponibles.

3. Seleccione la plantilla que le convenga. Verá un ejemplo del diseño en la parte derecha de la ventana.

4. Haga clic sobre **Crear**. El nuevo libro se abrirá en la ventana de Excel.

Crear una plantilla personalizada

1. Abra un libro ya existente, o cree uno nuevo, y modifíquelo según sus necesidades. Este libro será la base de la nueva plantilla. Tenga en cuenta que una plantilla permite crear documentos partiendo de un diseño predefinido, por lo que le recomendamos que la plantilla que está creando tenga la información de diseño y formato lo más definitiva posible, y tan sólo falten los datos.

2. Haga clic sobre Archivo y seleccione el submenú Guardar como.

3. Seleccione una ubicación para la nueva plantilla y un nombre.

4. Seleccione el formato de archivo Plantilla de Excel (*.xltx). Si la plantilla contiene macros, tendrá que seleccionar la opción Plantilla de Excel habilitada para macros (*.xltx).

5. Haga clic sobre el botón **Guardar**.

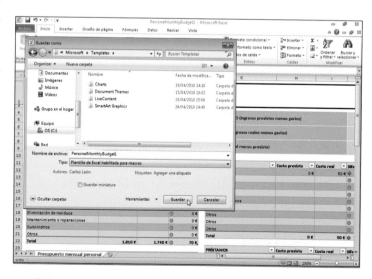

Crear una macro

Las macros son herramientas que nos permiten automatizar tareas repetitivas, y permiten así ahorrar tiempo. Para crear una macro, los pasos son:

1. Abra el libro en el que quiere utilizar macros.
2. En la ficha Vista de la cinta de opciones, haga clic sobre el botón **Macros** del grupo Macros, y seleccione la opción Grabar macro.
3. En el cuadro de diálogo Grabar macro, especifique un nombre para la macro.
4. En la sección Método abreviado, indique la tecla que, en combinación con la tecla **Control**, será la que ejecute la macro una vez creada.
5. En Guardar macro en, determine el libro en el que se guardará la macro.
6. Incluya, si lo desea, una descripción para la macro. Una vez haya terminado, haga clic sobre el botón **Aceptar** para iniciar el proceso de grabación de la macro.

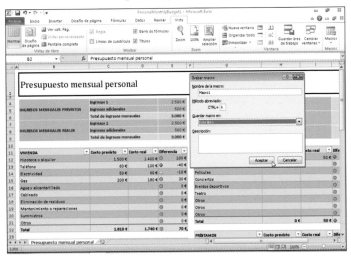

7. Realice las acciones que desea guardar en la macro y, una vez haya terminado, haga clic sobre el botón **Macros** de la ficha Vista, y seleccione la opción Detener grabación.

Guardar un libro con macros

Los libros que contienen macros tienen que guardarse con un formato de archivos específico.

1. Haga clic sobre Archivo y seleccione Guardar como. Especifique un nombre y una ubicación determinada para el archivo.
2. Seleccione el tipo de archivo Libro de Excel habilitado para macros. La extensión de archivo es .xlsm. Si en lugar de un libro, lo que quiere guardar es una plantilla con macros, el formato de archivo debe ser Plantilla de Excel habilitada para macros (*.xltm).
3. Haga clic sobre el botón **Guardar**.

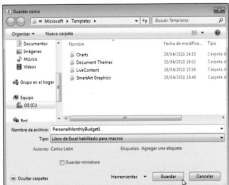

Ver y modificar las macros de un libro

1. Abra el libro cuyas macros desea ver.
2. En la ficha Vista, haga clic sobre el botón **Macros** del grupo Macros.
3. Seleccione la opción Ver macros. Se abrirá el cuadro Macro donde podrá ver las actuales macros disponibles para este libro.

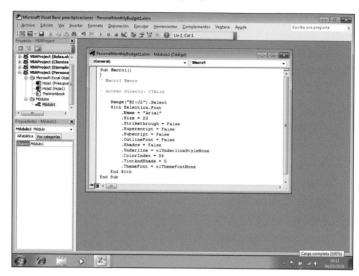

4. Haga clic sobre **Modificar**. Se abrirá la ventana de edición de Microsoft Visual Basic, con la correspondiente macro seleccionada, donde podrá modificarla.
5. Una vez modificada, haga clic sobre **Guardar** y cierre la ventana de Microsoft Visual Basic.

Ejecutar una macro

1. Abra el libro que contiene la macro que desea ejecutar.
2. Si la macro tiene asociada una combinación de teclas y la conoce, sólo tendrá que pulsarla para ejecutar la macro. De no ser así, haga clic sobre el botón **Macros** de la ficha Vista, y seleccione Ver macros.

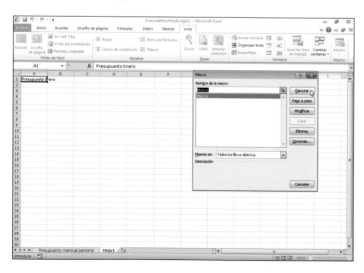

3. En el cuadro de diálogo Macro, haga clic sobre el botón **Ejecutar**.

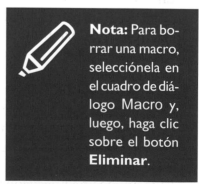

Nota: Para borrar una macro, selecciónela en el cuadro de diálogo Macro y, luego, haga clic sobre el botón **Eliminar**.

Importar datos

Son múltiples los orígenes de datos de los que Excel puede importar información. Entre estos orígenes de datos se encuentran las bases de datos Access, archivos XML, archivos de texto, páginas Web, etc. Para ver un ejemplo, vamos a importar información de una base de datos Access.

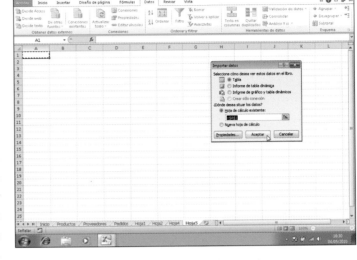

1. Teniendo abierta la hoja de cálculo donde se desea incluir la información importada, haga clic sobre el botón **Desde Access** del grupo Obtener datos externos, de la ficha Datos, en la Cinta de Opciones.

2. En el cuadro de diálogo Seleccionar archivos de origen de datos, localice y seleccione la base de datos Access con los datos que quiere importar a Excel. Haga clic sobre **Abrir**, una vez haya localizado el archivo.

3. En el cuadro de diálogo Seleccionar tabla, seleccione la tabla o consulta con la información que desea importar, y haga clic sobre **Aceptar**.

4. En el cuadro de diálogo Importar datos, seleccione cómo desea que se muestre la información importada. Haga clic sobre **Aceptar** para importar los datos.

Conexiones existentes

1. Abra el libro donde desea importar datos.
2. En la ficha Datos de la cinta de opciones, haga clic sobre el botón **Conexiones existentes**, del grupo Obtener datos externos.
3. El cuadro de diálogo Conexiones existentes muestra las conexiones con fuentes de información externas disponibles para este libro.
4. Seleccione la conexión con los datos que desea importar y haga clic sobre el botón **Abrir**. Especifique dónde desea colocar los datos importados y haga clic sobre **Aceptar**.
5. Especifique una ubicación y un nombre de archivo.

2140